Usborne

구석구석 세계 국기 백과

수전 메레디스 글 · 이안 맥니, 호프 레이놀즈 그림, 디자인
크레이그 애스퀴스, 애나 굴드 지도 작업 · 조스 포엘스 국기 감수

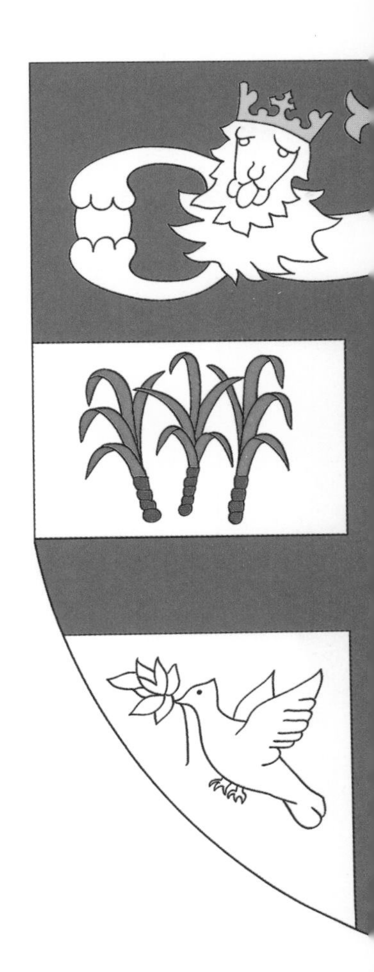

차 례

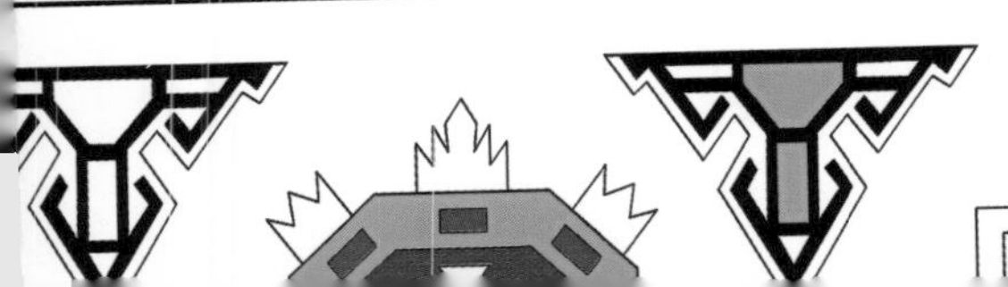
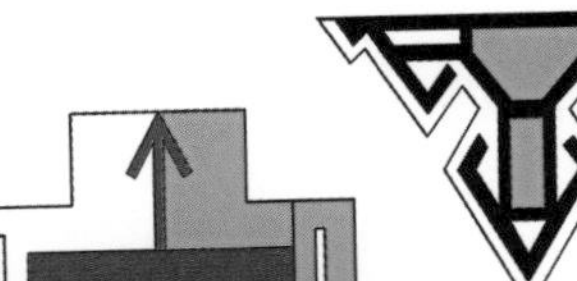

국기란 무엇일까요?

국기는 한 나라를 상징하는 깃발이에요.
이 책은 전 세계 모든 독립 국가*의 국기를 담았어요.
세계를 옆의 지도처럼 여섯 대륙으로 나누어
각 대륙에 속한 나라들의 국기를 소개할 거예요.

*독립 국가: 독립된 주권을 가진 나라. 국제법상 주체로서의 완전한 능력을 갖추며, 나라 안팎의 문제를 독자적으로 결정한다.

북아메리카

대서양

남아메리카

국기 모양

국기는 눈에 띄는 또렷한 색깔과 단순한 무늬를 사용해요.
그러면 국기가 휘날려도 모양을 알아볼 수 있지요.

많은 국기가 삼색기예요.
삼색기는 세 줄로 색깔을 칠한
깃발이지요. 프랑스를 시작으로
여러 나라의 국기로 쓰여요.

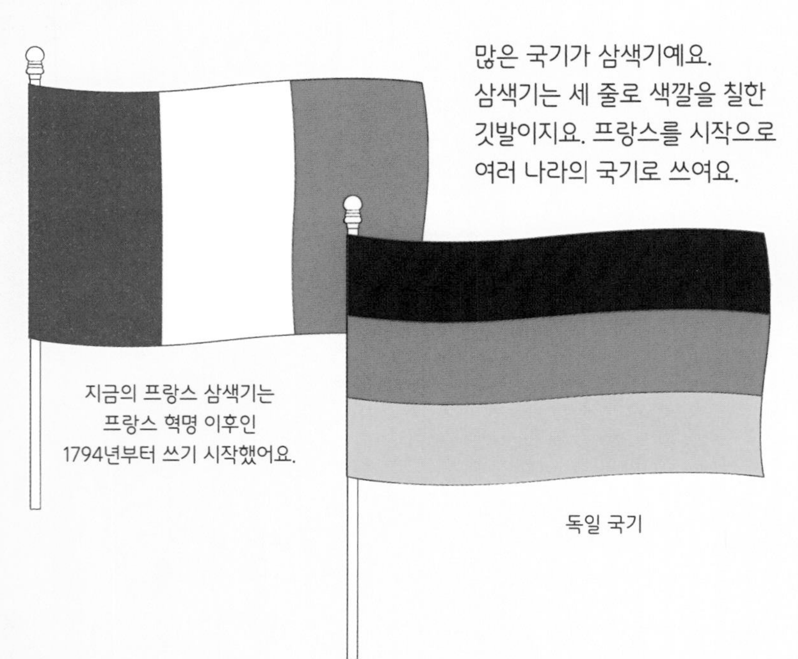

지금의 프랑스 삼색기는
프랑스 혁명 이후인
1794년부터 쓰기 시작했어요.

독일 국기

상징

국기에는 나라를 상징하는 무늬인
'문장'을 넣기도 해요.

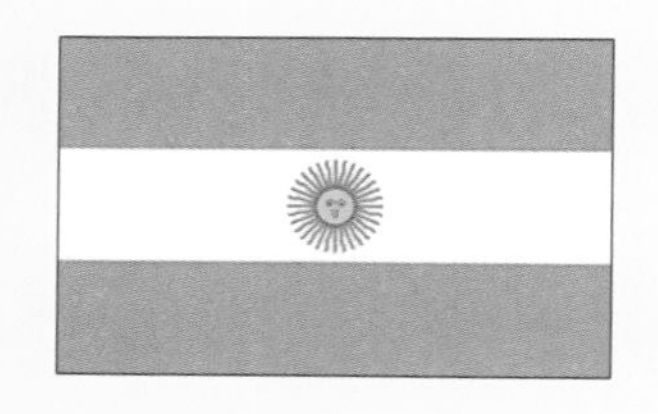

아르헨티나 국기에는 '5월의 태양'
이라는 문장이 새겨져 있어요.
1810년에 일어난 5월 혁명을
기념하는 상징이지요.

색깔

국기를 이루는 무늬나 색깔의 뜻을 알기
어려운 경우가 많아요. 특히 옛날부터
전해져 내려오는 국기인 경우에 더욱 그렇지요.
어떤 색깔들은 아래와 같은 뜻을 나타내요.

비슷한 국기들

과거에 정치적 또는 경제적으로 밀접하게 관련되었던 나라들의 국기는 서로 비슷하기도 해요.

콩고 국기

아프리카 여러 나라의 국기에는 빨간색, 초록색, 노란색이 들어 있어요. 이 세 가지 색을 '범아프리카 색'이라고 불러요. 범아프리카는 아프리카 전체를 아우른다는 뜻이에요.

아랍 에미리트 국기

북아프리카와 서남아시아에 있는 아랍 국가들의 국기에는 빨간색, 초록색, 검은색, 하얀색이 있어요. 이 색깔들을 '범아랍 색'이라고 불러요.

공모전

국기를 바꿔야 할 때 정부는 국기 아이디어를 모으는 공모전을 열 수 있어요.

깔끔한 단풍잎 깃발은 1965년에 캐나다 국기로 채택되었어요.

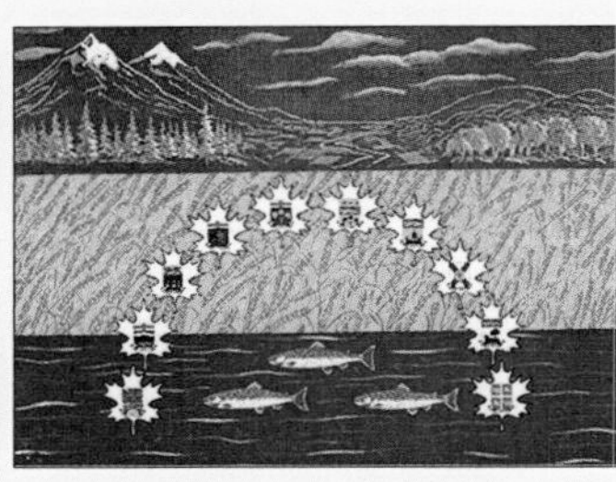

이 깃발은 복잡하고 눈에 잘 띄지 않아서 공모전에서 탈락했어요.

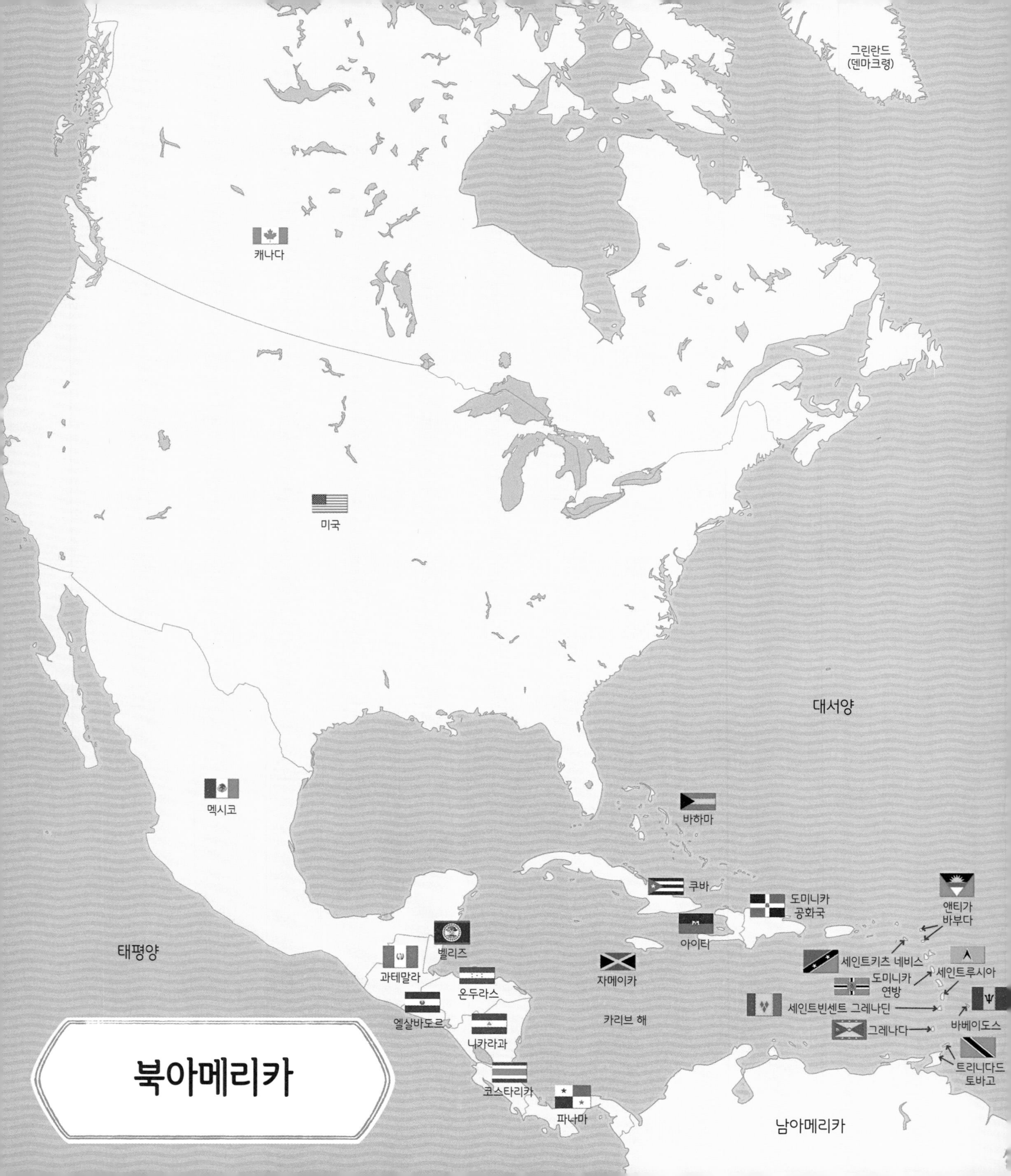

그린란드
(덴마크령)
캐나다
미국
대서양
멕시코
바하마
쿠바
도미니카
공화국
앤티가
바부다
아이티
벨리즈
태평양
과테말라
자메이카
세인트키츠 네비스
도미니카
연방
세인트루시아
온두라스
세인트빈센트 그레나딘
엘살바도르
카리브 해
바베이도스
니카라과
그레나다
트리니다드
토바고
북아메리카
코스타리카
파나마
남아메리카

앤티가 바부다

국기의 검은색은 아프리카에서 온 조상을,
빨간색은 힘을, 파란색은 바다를,
흰색은 모래를 상징해요.
태양은 1967년 영국에서 독립하기
시작한 뒤로 열린 새 시대를 뜻해요.

앤티가 바부다

캐나다

캐나다는 단풍나무로 유명해요.
단풍잎은 캐나다를 상징하는
문장이에요.

캐나다

바베이도스

벨리즈

국기 한가운데의
그림은 목재 무역에
힘쓴 벨리즈 역사를
나타낸 문장이에요.
그 밑에는 라틴 어로
'그늘에서 번창하리라.'라고
쓰여 있어요.

벨리즈

바하마

바하마 국기의 파란색과 노란색은
각각 바다와 모래를 상징해요.
검은색 삼각형은 결의를 뜻하지요.

바하마

도미니카 연방

도미니카 연방

국기 가운데에 도미니카를 상징하는 황제아마존앵무새가 그려져 있어요. 새 주변의 별들은 열 개의 주를 나타내요.

쿠바

쿠바

쿠바 국기는 '외로운 별'이라고도 불려요. 별이 50개나 있는 미국 국기와 비교되어 붙여진 별명이지요.

그레나다

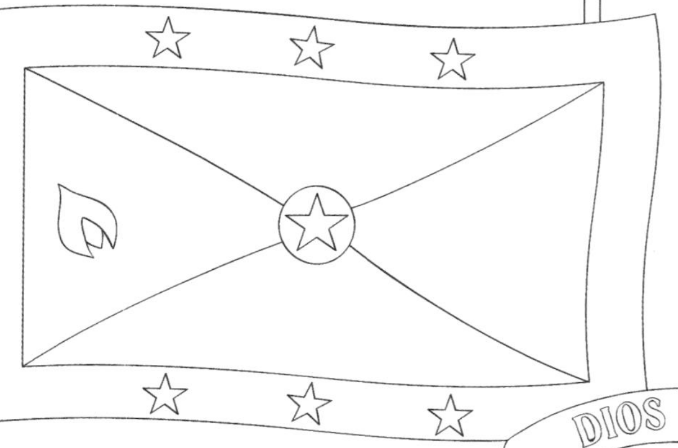

그레나다

국기 왼쪽의 불꽃 모양 그림은 그레나다의 주요 작물인 육두구 나무의 열매를 뜻해요. 중앙의 별은 그레나다의 수도인 세인트조지스를, 바깥쪽 별들은 여섯 개의 주를 상징하지요.

도미니카 공화국

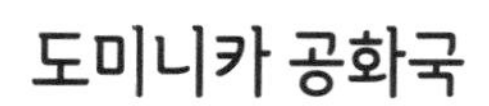

도미니카 공화국

국기 속의 책은 성경을 상징해요. 펼쳐진 책장에는 '진리가 너희를 자유롭게 하리라.'라는 구절이 쓰여 있어요.

아이티

무기 그림은 아이티가
프랑스에 맞서 혁명을 일으키고
1803년 큰 승리를 얻은 일을
기념해요. 야자나무
꼭대기에 걸린 모자는
자유를 상징해요.
아래쪽 리본에는
프랑스 어로
'단결은 힘이다.'
라고 쓰여 있어요.

아이티

코스타리카

코스타리카

코스타리카 국기는 프랑스
삼색기에서 영향을 받았어요.
파란색은 코스타리카의
하늘을, 하얀색은 평화를,
빨간색은 자유를 위해
흘린 피를 상징해요.

온두라스

과테말라

자메이카

자메이카 국기는
'고난과 어려움(검은색)이
있더라도 우리에게는
여전히 희망(초록색)이 있고
태양(노란색)은 빛난다.'
라는 뜻을 지녔어요.
'희망이 있고'라는 구절
대신 '땅은 푸르고'라고
해석하기도 해요.

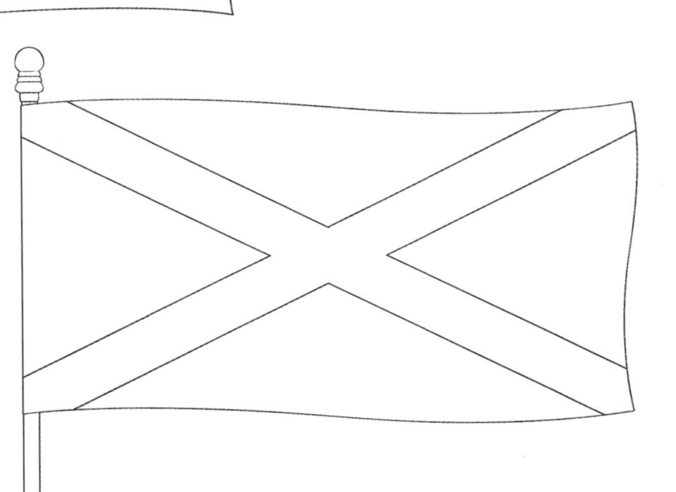

자메이카

멕시코

니카라과

세인트키츠 네비스

엘살바도르

멕시코

멕시코 국기에는
독수리가 뱀을 물고
호숫가의 선인장에
앉아 있어요.
멕시코에 고대
아스테카 왕국이
건국되었던 전설을
나타내지요.

세인트키츠 네비스

국기 가운데에 있는 별 두 개는
희망과 자유를 뜻해요.

엘살바도르

문장 가운데의 날짜는
스페인으로부터
독립한 날을 뜻해요.
빨간 모자는
아이티 국기에
그려진 모자처럼
자유를 뜻하지요.
무지개는 평화를,
월계관은 단결을 뜻해요.

미국

파나마

트리니다드 토바고

미국

미국 국기는 '성조기'라고도 불려요. 13개의 줄은 미국이 영국으로부터 독립할 당시의 13개 주를 나타내고, 50개의 별은 현재 50개 주를 뜻해요.

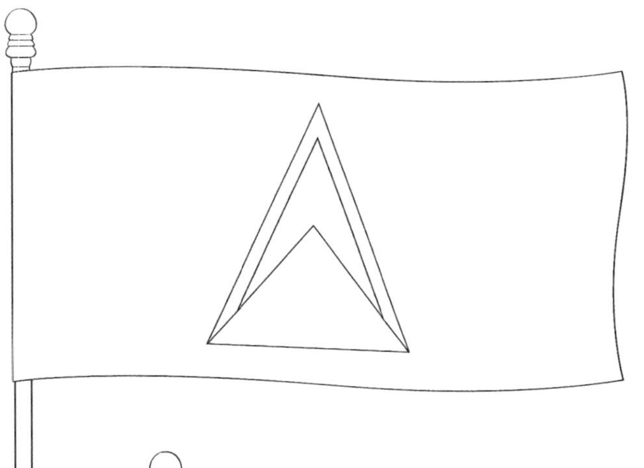

세인트루시아

세인트루시아 국기는 섬나라인 세인트루시아의 화산과 바다를 나타내요. 검은색과 하얀색은 흑인과 백인이 조화롭게 살아가는 모습을 상징해요.

세인트루시아

세인트빈센트 그레나딘

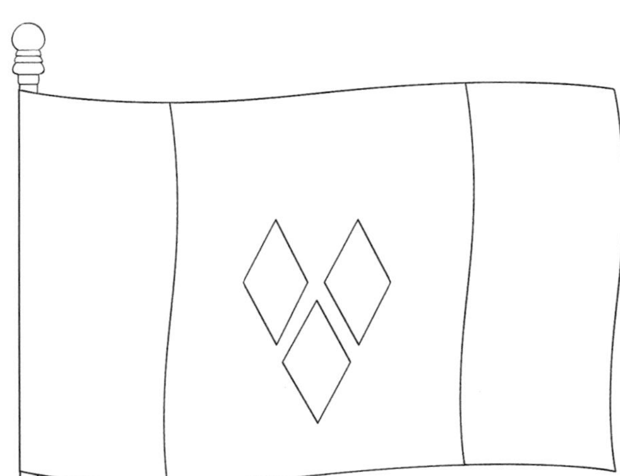

세인트빈센트 그레나딘

세인트빈센트 그레나딘은 앤틸리스 제도에 있는 섬나라예요. 앤틸리스 제도의 섬들은 아름답기로 유명해서 세인트빈센트 그레나딘을 '앤틸리스의 보석'이라고도 부르지요. 그래서인지 국기 한가운데에 초록색 다이아몬드가 그려져 있어요. V 자 모양은 빈센트(Vincent)를 뜻해요.

남아메리카

베네수엘라
가이아나
수리남
프랑스령
기아나
콜롬비아
에콰도르
페루
브라질
볼리비아
파라과이
칠레
아르헨티나
우루과이
태평양
대서양

볼리비아

빨간색은 용기를,
노란색은 풍부한 광물을,
초록색은 비옥한
땅을 나타내요.

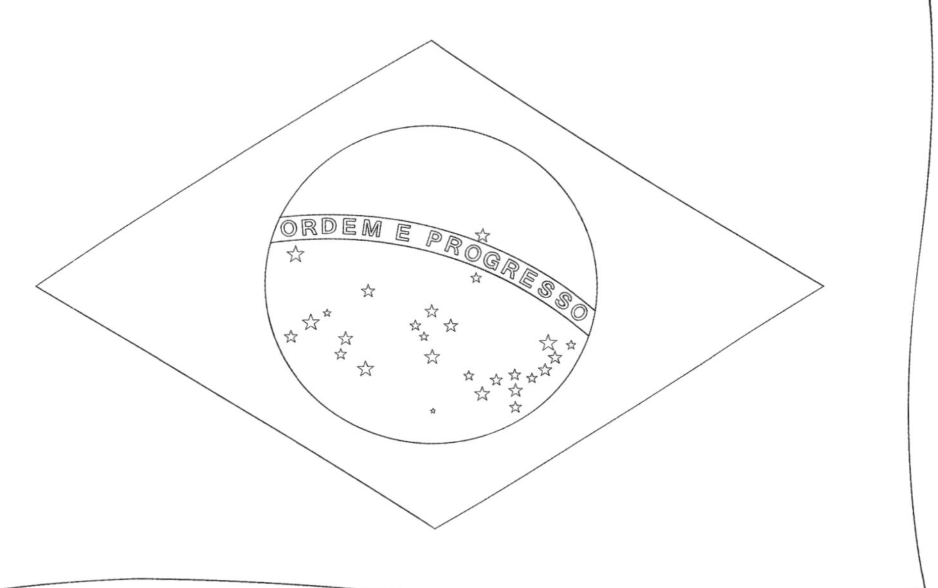

브라질

가운데 원은 브라질의 밤하늘을 뜻해요.
흰색 띠에는 브라질의 공용어인 포르투갈 어로 '질서와 진보'라고 쓰여 있어요.

콜롬비아

콜롬비아에는 국기를
노래하는 동요가 있어요.
'노란색은 우리나라의 황금,
파란색은 넓은 우리 바다,
빨간색은 우리에게 자유를
가져다준 피랍니다.'
콜롬비아는 1810년에
스페인으로부터 독립했지요.

볼리비아

베네수엘라

브라질

칠레

콜롬비아

에콰도르

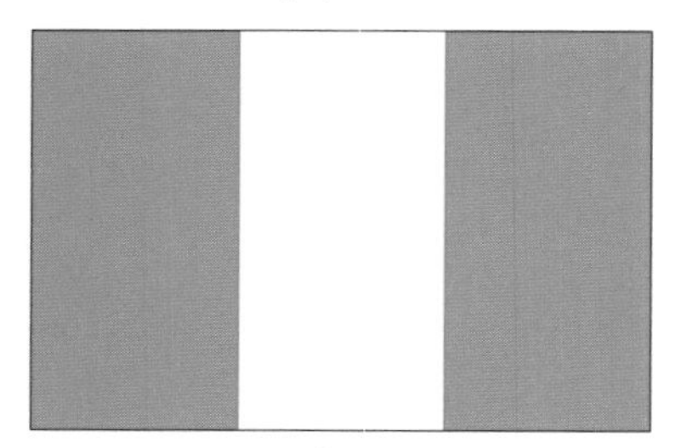

페루

파라과이

에콰도르

문장 속에 그려진 강은 과야스 강이에요. 에콰도르에서 가장 높은 산인 침보라소 산으로부터 흐르지요. 문장 위쪽의 거대한 독수리는 안데스 산맥에 있는 '콘도르'예요.

파라과이

파라과이 국기는 세계에서 유일하게 앞면과 뒷면의 문장이 달라요.

앞면 문장

별은 스페인의 식민 통치에 반대하여 일어난 혁명과 1811년에 맞이한 독립을 뜻해요.

뒷면 문장

사자가 지키고 있는 빨간 모자는 자유를 상징해요. 그 위에 적힌 스페인 어는 '평화와 정의'를 뜻해요.

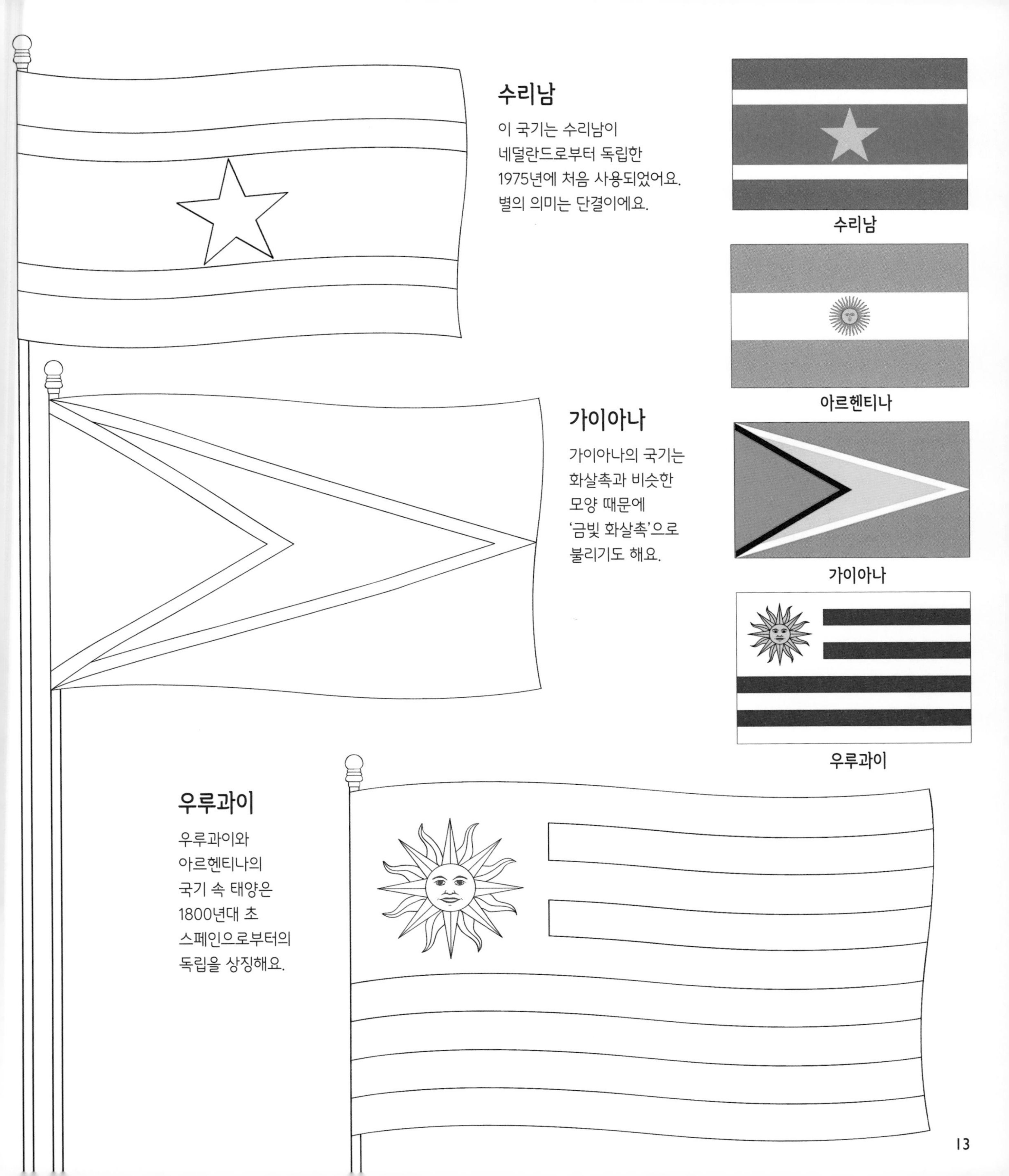

수리남

이 국기는 수리남이
네덜란드로부터 독립한
1975년에 처음 사용되었어요.
별의 의미는 단결이에요.

가이아나

가이아나의 국기는
화살촉과 비슷한
모양 때문에
'금빛 화살촉'으로
불리기도 해요.

우루과이

우루과이와
아르헨티나의
국기 속 태양은
1800년대 초
스페인으로부터의
독립을 상징해요.

유럽

북극해
아이슬란드
스웨덴
핀란드
노르웨이
에스토니아
러시아
라트비아
덴마크
리투아니아
아일랜드
영국
러시아
벨라루스
네덜란드
폴란드
독일
벨기에
룩셈부르크
우크라이나
대서양
체코
프랑스
슬로바키아
몰도바
스위스
리히텐슈타인
오스트리아
헝가리
슬로베니아
크로아티아
루마니아
모나코
산마리노
보스니아
헤르체고비나
세르비아
흑해
포르투갈
안도라
스페인
(에스파냐)
바티칸 시국
몬테네그로
코소보
불가리아
마케도니아
터키
이탈리아
알바니아
그리스
아시아
몰타
키프로스
아프리카
지중해

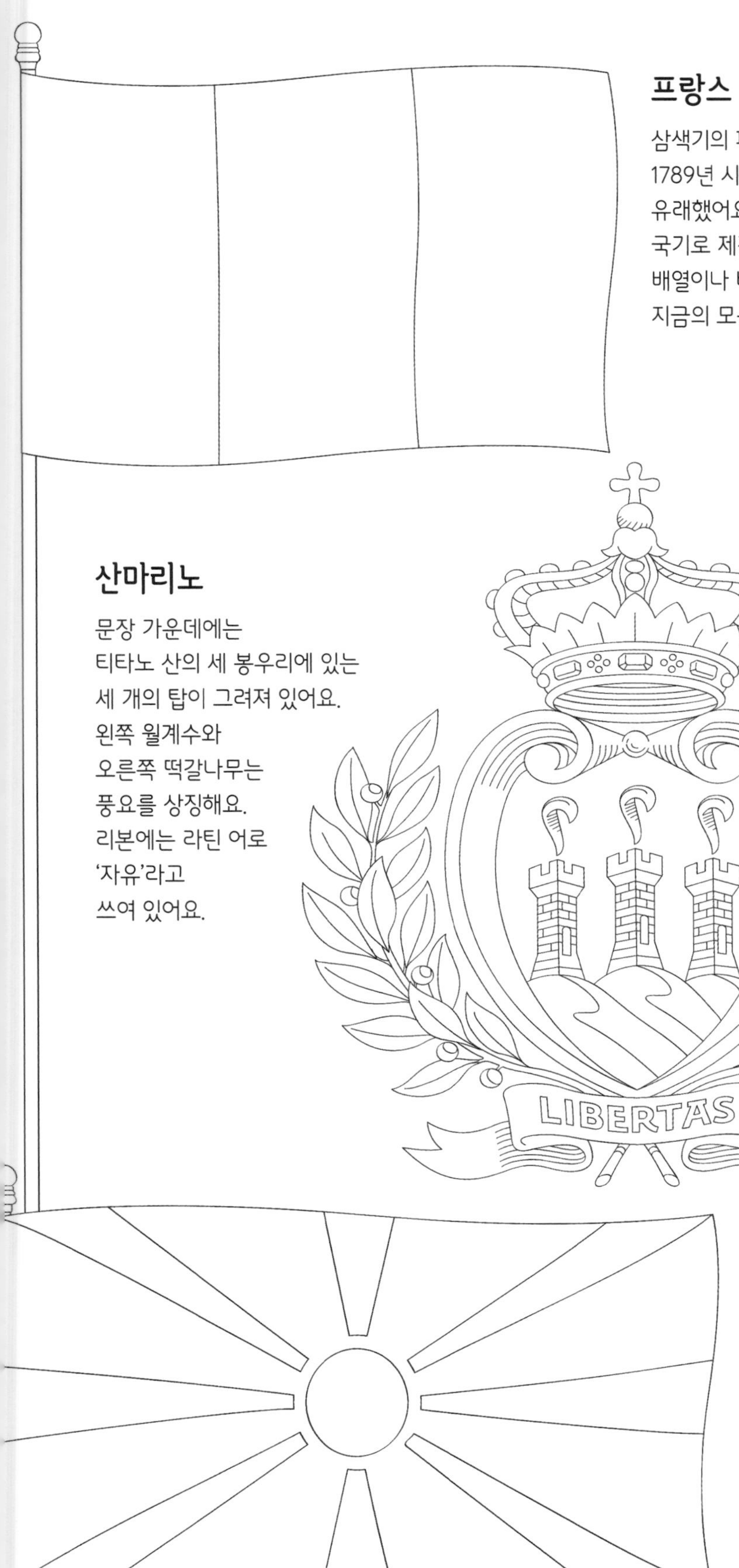

프랑스

삼색기의 파란색, 하얀색, 빨간색은 1789년 시작된 프랑스 혁명에서 유래했어요. 삼색기는 1794년에 국기로 제정되었고, 이후 색깔의 배열이나 비율을 조금씩 고치면서 지금의 모습이 되었어요.

산마리노

문장 가운데에는 티타노 산의 세 봉우리에 있는 세 개의 탑이 그려져 있어요. 왼쪽 월계수와 오른쪽 떡갈나무는 풍요를 상징해요. 리본에는 라틴 어로 '자유'라고 쓰여 있어요.

마케도니아

마케도니아 국기는 고대 태양 문양을 보다 단순하게 수정한 모양으로 제정되었어요.

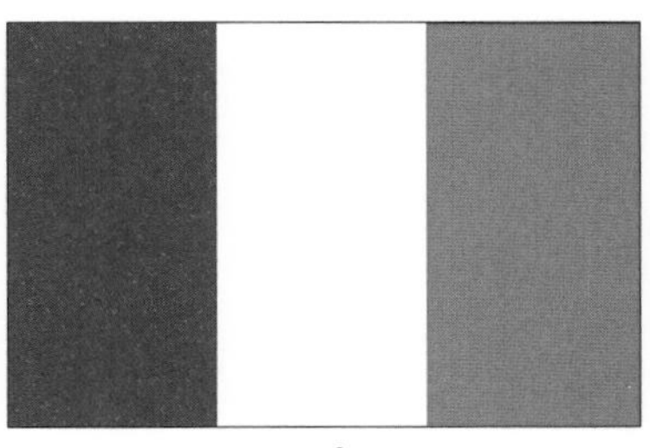

프랑스

산마리노

라트비아

코소보

마케도니아

덴마크

아일랜드

러시아

안도라

리투아니아

덴마크

덴마크의 국기는 세계에서
가장 오래된 국기 중 하나예요.
국기의 십자가 무늬는 노르웨이,
스웨덴, 핀란드, 아이슬란드 등
북유럽 여러 나라의 국기에
영향을 끼쳤어요.

안도라

국기 가운데 문장에
주교의 관과
소 두 마리가
그려져 있어요.
리본에는 라틴 어로
'단결된 덕행은
더욱 힘이 세다.'
라고 쓰여 있어요.

리투아니아

리투아니아 국기는
전통 의상에 사용되는
색깔로 이루어져 있어요.

스페인(에스파냐)

문장 속 리본에는 라틴 어로 '보다 더 멀리'라고 쓰여 있어요. 이 말은 16세기에 대제국을 이루었던 카를 5세의 표어예요.

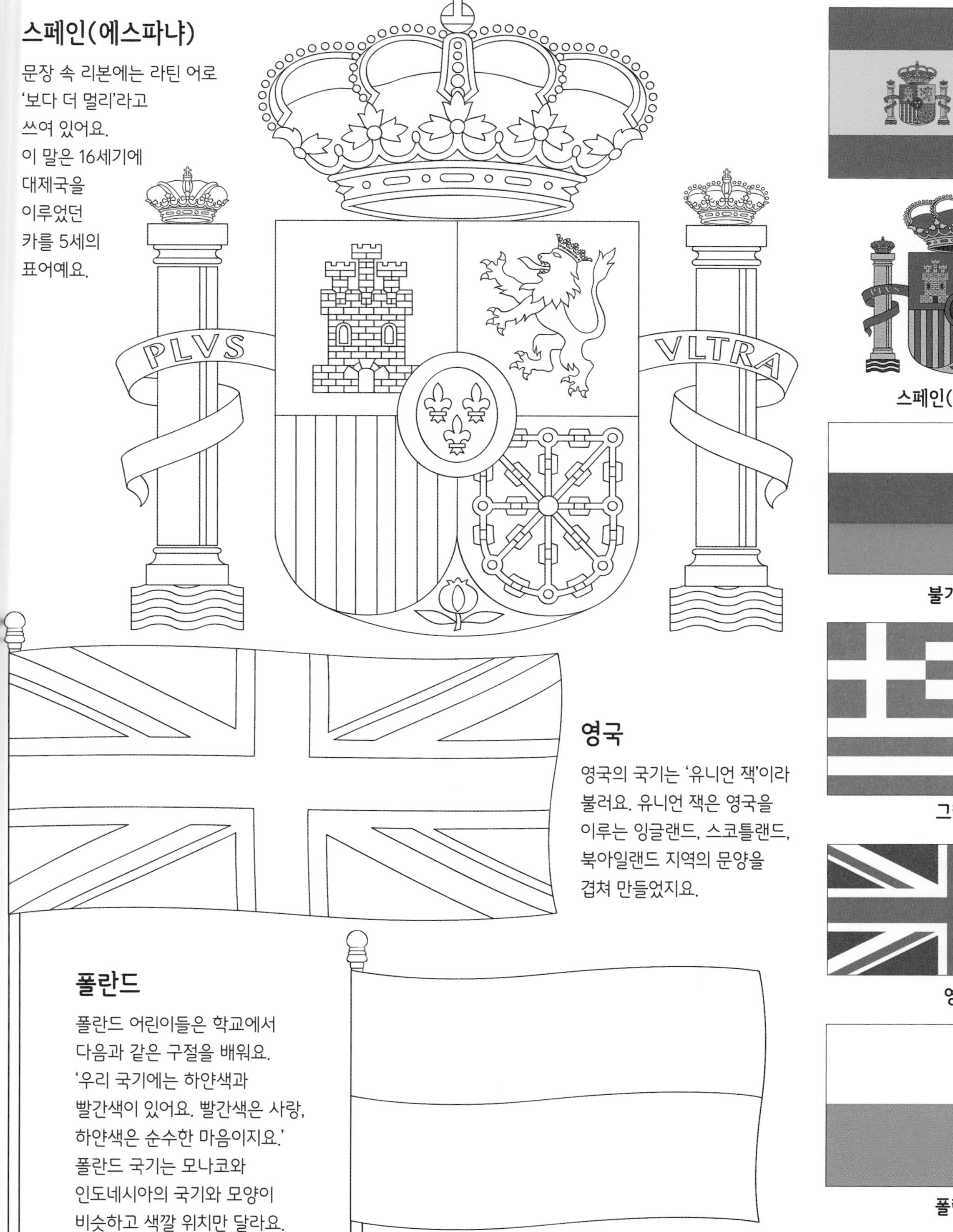

영국

영국의 국기는 '유니언 잭'이라 불러요. 유니언 잭은 영국을 이루는 잉글랜드, 스코틀랜드, 북아일랜드 지역의 문양을 겹쳐 만들었지요.

폴란드

폴란드 어린이들은 학교에서 다음과 같은 구절을 배워요. '우리 국기에는 하얀색과 빨간색이 있어요. 빨간색은 사랑, 하얀색은 순수한 마음이지요.' 폴란드 국기는 모나코와 인도네시아의 국기와 모양이 비슷하고 색깔 위치만 달라요.

스페인(에스파냐)

불가리아

그리스

영국

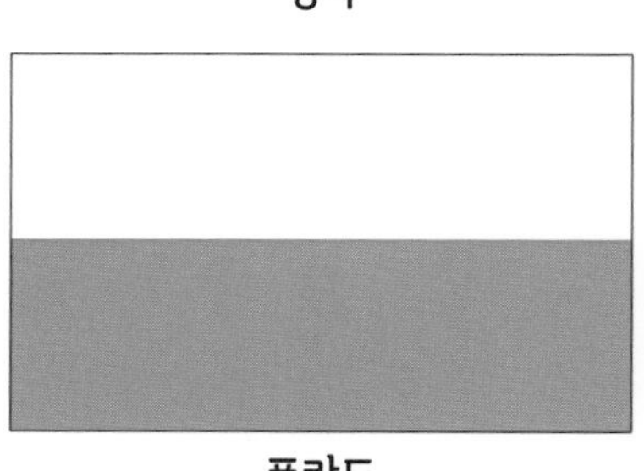

폴란드

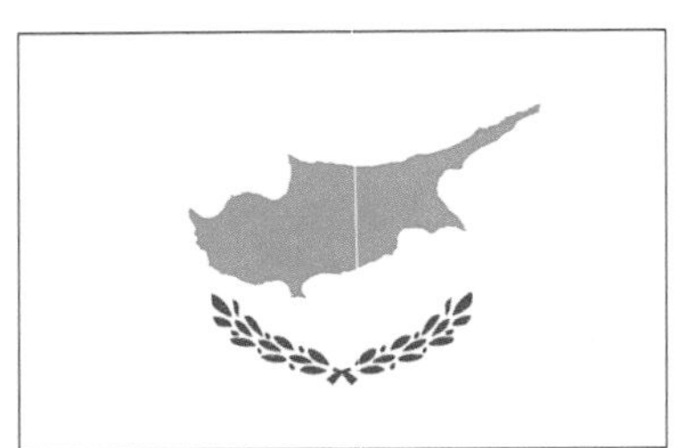
키프로스

우크라이나

벨기에

터키

크로아티아

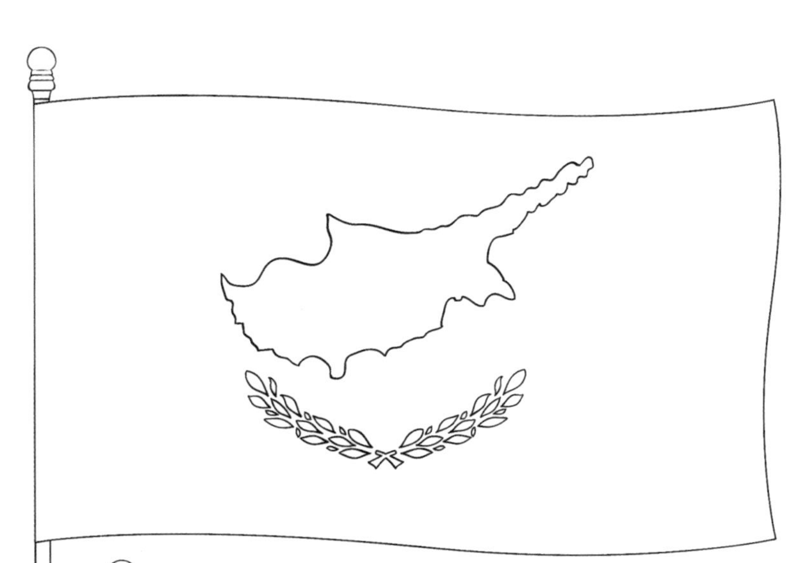

키프로스

키프로스 국기에는
키프로스 섬의 모양이
그대로 그려져 있어요.
두 개의 올리브 가지와
하얀색 바탕은
평화를 상징해요.

우크라이나

파란색과 노란색 줄무늬는
황금빛 밀밭 위로 펼쳐진
파란 하늘을 나타내요.

크로아티아

방패 다섯 개는
크로아티아의
다섯 개 지방을
각각 나타내요.
빨간색 체크무늬는
중세 크로아티아 왕국을
상징하는 문장이지요.

몰도바

몰도바는 루마니아에 속했지만,
현재는 독립한 국가예요.
국기의 삼색 줄무늬는
루마니아 국기와 똑같아요.
하지만 가운데에는
몰도바의 문장인
독수리와 황소 머리를
넣었지요.

헝가리

몰도바

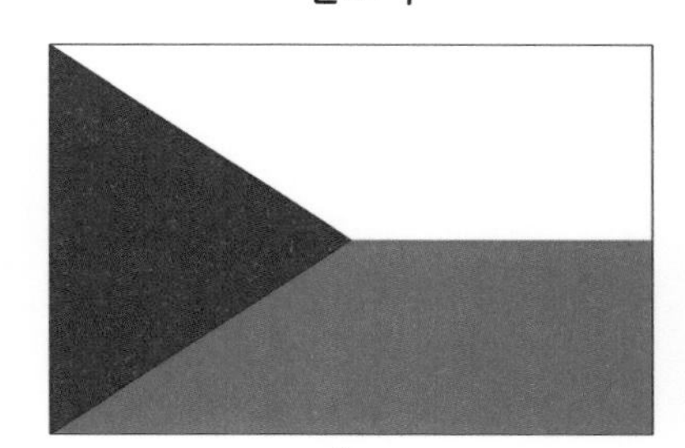

스위스

스위스 국기는 정사각형이에요. 정사각형 국기는 세계에서
단 두 개예요. 나머지 정사각형 국기는 바티칸 시국의 국기지요.
스위스 국기는 세계 의료 지원 기구인 적십자의 깃발에
영향을 주었어요. 적십자기는 흰색 바탕에 빨간색 십자가로,
스위스 국기와 색깔이 반대예요.

체코

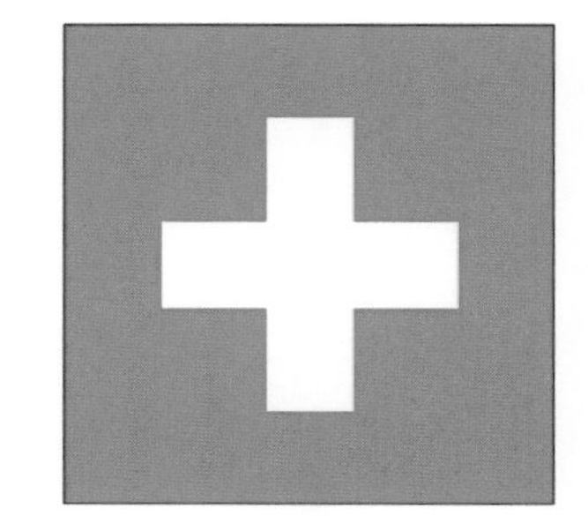

스위스

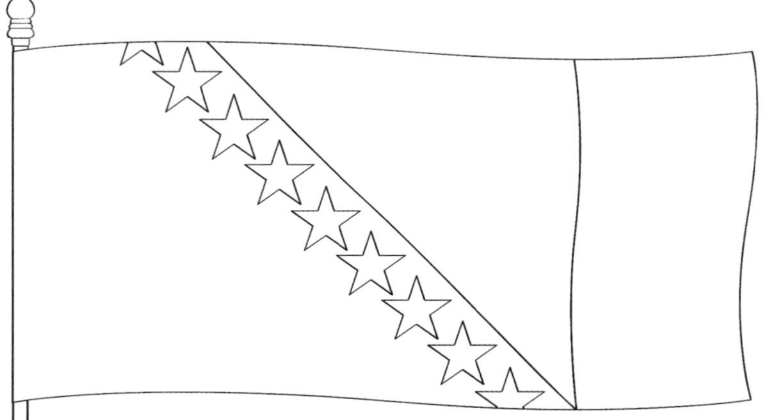

보스니아 헤르체고비나

삼각형을 이루는 세 변은 각각 보스니아 헤르체고비나를 구성하는 세 민족인
보스니아 인, 세르비아 인, 크로아티아 인을 의미해요. 파란색 바탕과 별들은
보스니아 헤르체고비나가 유럽의 일원임을 뜻하고, 노란색은 희망을 상징해요.

보스니아 헤르체고비나

슬로바키아

몬테네그로

룩셈부르크

이탈리아

노르웨이

슬로베니아

몬테네그로

문장에는 머리가 두 개인 독수리와 사자가 있어요. 몬테네그로의 유일한 왕인 니콜라 1세의 왕실기에 사용되었던 문장이지요. 니콜라 1세는 1910년부터 1918년까지 몬테네그로 왕국을 통치했어요.

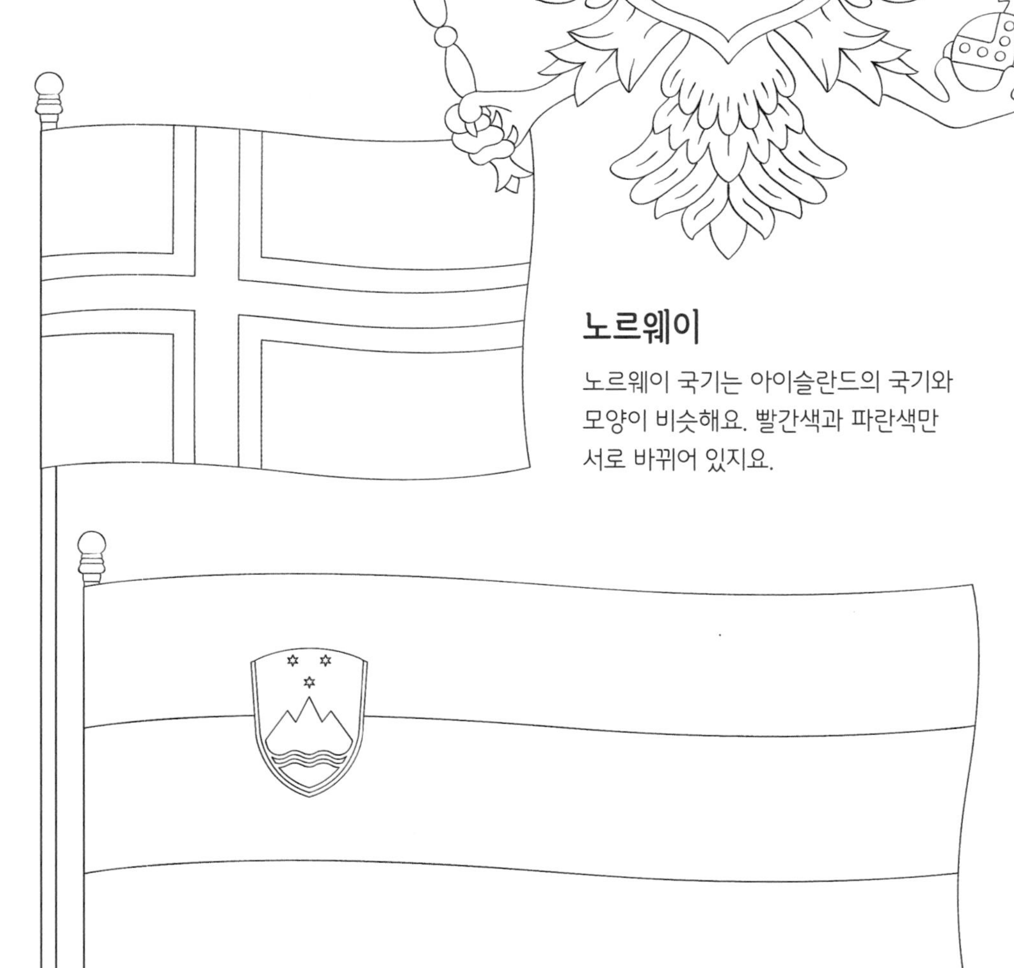

노르웨이

노르웨이 국기는 아이슬란드의 국기와 모양이 비슷해요. 빨간색과 파란색만 서로 바뀌어 있지요.

슬로베니아

문장에는 슬로베니아에서 가장 높은 산인 트리글라브 산이 그려져 있어요.

알바니아

알바니아의 국기는 15세기
영웅인 스칸데르베그 가문의
깃발에서 유래했어요.
알바니아의 나라 이름은
'독수리의 나라'라는 뜻이에요.

알바니아

오스트리아

몰타

가장자리의 문장은
세인트 조지 십자 훈장이에요.
제2차 세계 대전 때 연합군으로
참전한 몰타 사람들을 기리며
영국에서 만들어 준 훈장이지요.

몰타

스웨덴

포르투갈

포르투갈은 신항로 개척에
가장 먼저 뛰어들었던
나라 중 하나예요.
방패 모양 문장 뒤쪽의
노란색 물건은
초기 항해 기구인
천구의예요.

포르투갈

독일

바티칸 시국

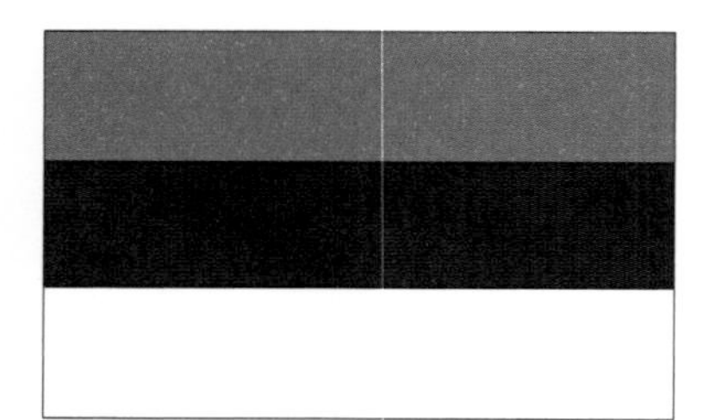
에스토니아

모나코

아이슬란드

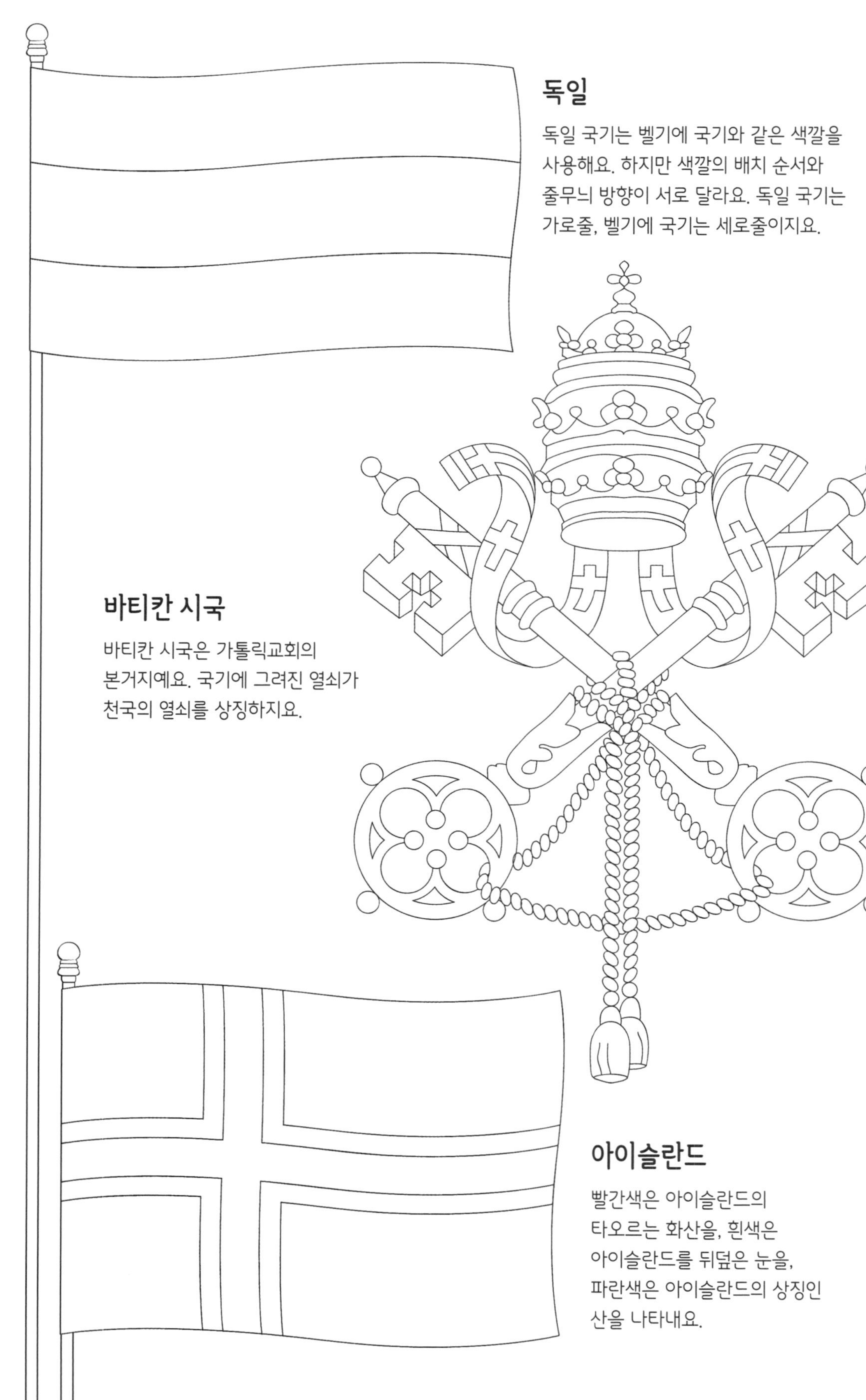

독일

독일 국기는 벨기에 국기와 같은 색깔을 사용해요. 하지만 색깔의 배치 순서와 줄무늬 방향이 서로 달라요. 독일 국기는 가로줄, 벨기에 국기는 세로줄이지요.

바티칸 시국

바티칸 시국은 가톨릭교회의 본거지예요. 국기에 그려진 열쇠가 천국의 열쇠를 상징하지요.

아이슬란드

빨간색은 아이슬란드의 타오르는 화산을, 흰색은 아이슬란드를 뒤덮은 눈을, 파란색은 아이슬란드의 상징인 산을 나타내요.

세르비아

문장 속의 머리 둘 달린
독수리는 고대에 힘과 권력을
뜻하는 상징으로
사용되기도 했어요.
왕관은 세르비아 왕국을
상징해요.

네덜란드

원래 줄무늬의 맨 윗줄은 주황색이었어요.
1600년대에 빨간색으로 바뀌었는데, 그 이유는 아무도 몰라요.

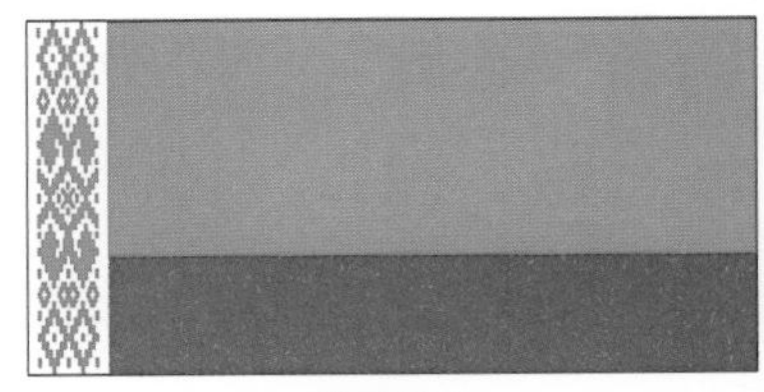

벨라루스

세르비아

루마니아

핀란드

네덜란드

리히텐슈타인

아시아
유럽
러시아
카자흐스탄
몽골
조지아
터키
아르메니아
아제르바이잔
우즈베키스탄
투르크메니스탄
키르기스스탄
타지키스탄
레바논
이스라엘
시리아
요르단
이라크
이란
아프가니스탄
북한
대한민국
일본
중국
쿠웨이트
바레인
카타르
사우디아라비아
아랍
에미리트
오만
파키스탄
네팔
부탄
인도
방글라데시
태평양
미얀마
(버마)
라오스
예멘
태국(타이)
베트남
필리핀
캄보디아
인도양
아프리카
스리랑카
브루나이
말레이시아
몰디브
싱가포르
인도네시아

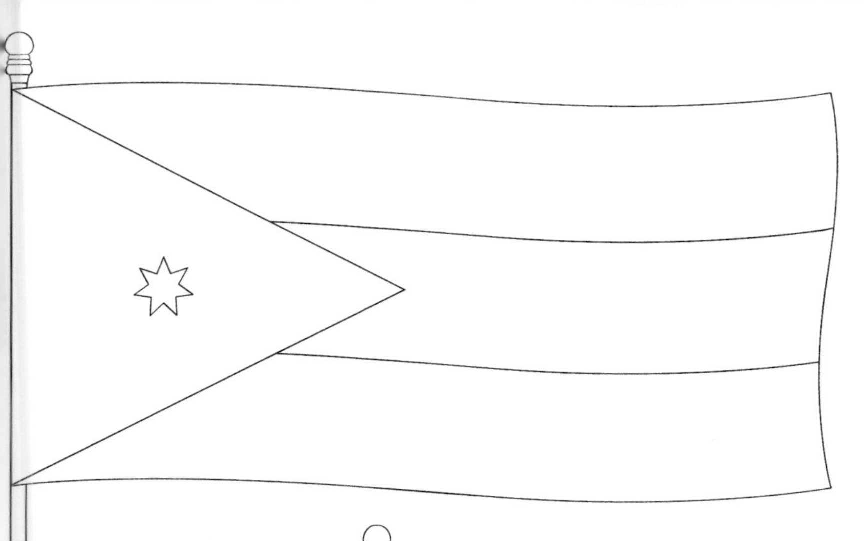

요르단

별의 일곱 모서리는
이슬람교의 경전인
『코란』 제1장의
일곱 구절을 나타내요.

요르단

이란

말레이시아

별과 초승달은
이슬람교의 상징이에요.
말레이시아가 이슬람
국가임을 알려 주지요.
다른 부분은
미국 국기와 비슷한데,
14개의 줄무늬는
말레이시아의
14개 주를 뜻해요.

말레이시아

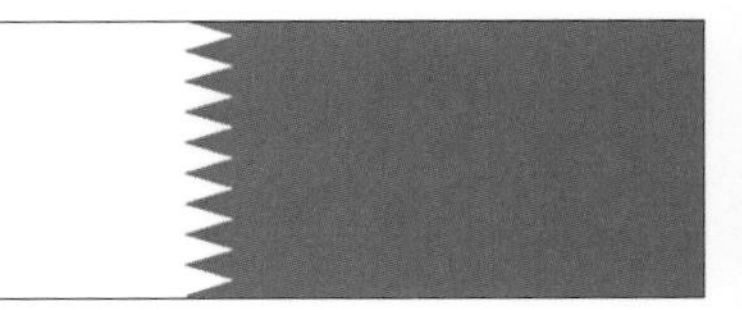
카타르

부탄

부탄에서는 천둥을 용이 울부짖는 소리로 여기기도 해요.
부탄은 현지어로 '드루크율'로 불리는데,
'천둥소리를 내는 용의 나라'라는 뜻이에요.

부탄

사우디아라비아

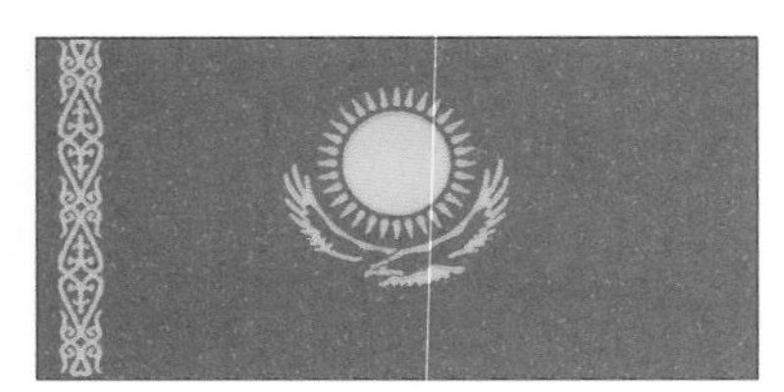

카자흐스탄

북한

아프가니스탄

타지키스탄

조지아

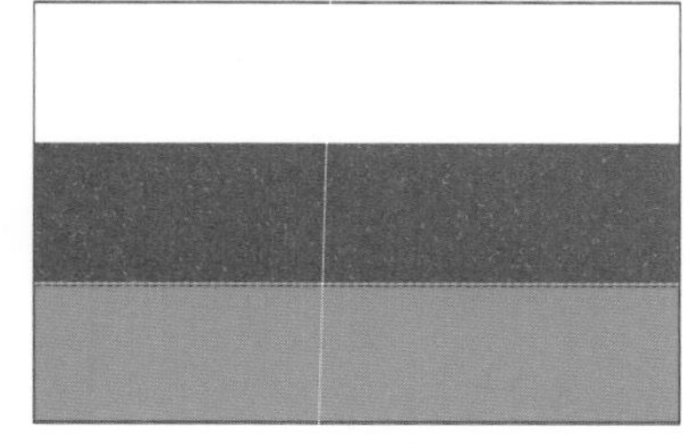

러시아

카자흐스탄

국기 왼쪽에는 카자흐스탄의
전통 무늬가 있어요.
이 무늬는 카자흐스탄의
가구부터 보석까지
무엇에든 사용돼요.
문장 아래쪽의 독수리는
자유를 상징하지요.

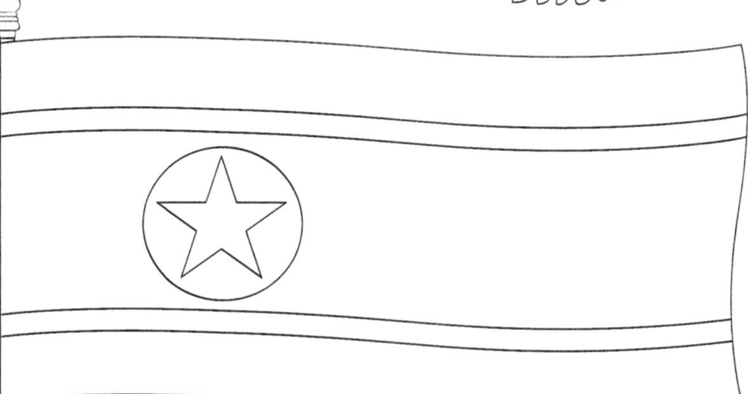

북한

국기에 사용된 빨간색, 파란색, 흰색은 각각 혁명 정신, 평화에 대한 희망, 광명을 뜻해요. 빨간색 별은 공산주의를 상징하지요.

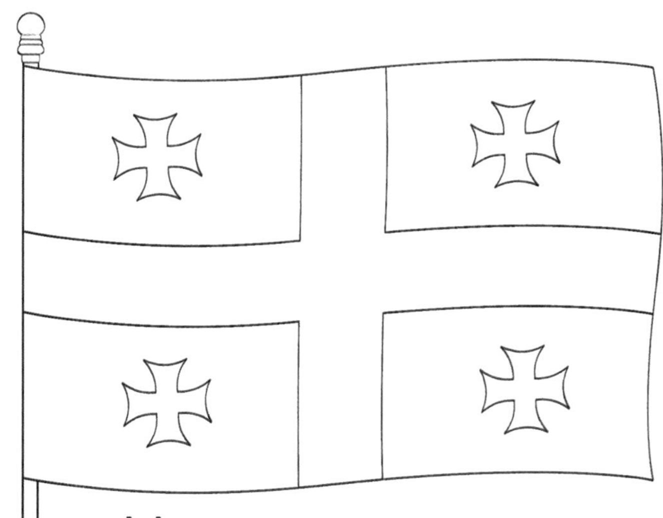

조지아

조지아의 국기는 중세 시대 조지아 왕국의 국기를 바탕으로 만들었어요. 커다란 십자가는 성 조지의 깃발을 나타내요. 성 조지는 조지아의 수호성인이지요.

이스라엘

이스라엘 국기에 있는 별은
'다윗의 별'이에요.
다윗 왕의 방패에서
유래한 표식으로,
유대 인과 유대교를 상징해요.

이스라엘

인도네시아

파키스탄

별과 초승달은 파키스탄이
이슬람 국가라는 것을 알려 줘요.
초록색 바탕은 이슬람교도를,
흰색 세로줄은 적은 수의
다른 종교인들을 나타내요.

파키스탄

이라크

레바논

레바논

백향목(레바논 삼나무)은 수천 년 동안 레바논의 상징으로 여겨져 왔어요. 한때 레바논은 백향목 숲으로 뒤덮여 있었지만, 벌목과 개간으로 숲의 면적이 많이 줄어들었어요.

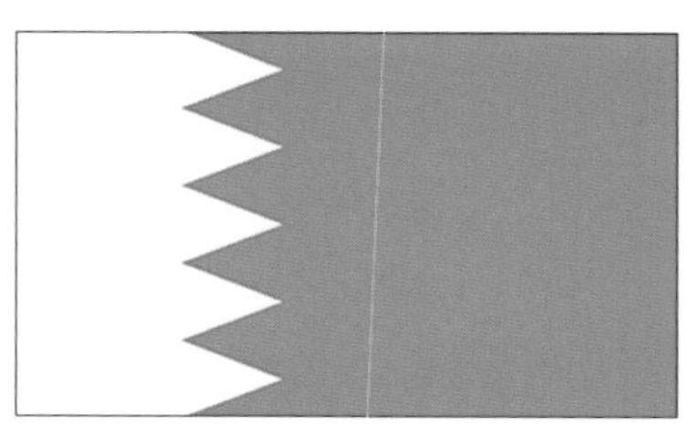

바레인

아제르바이잔

오만

베트남

아랍 에미리트

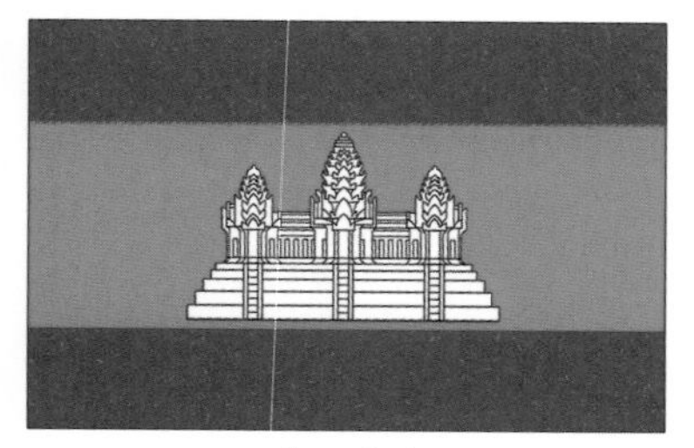

캄보디아

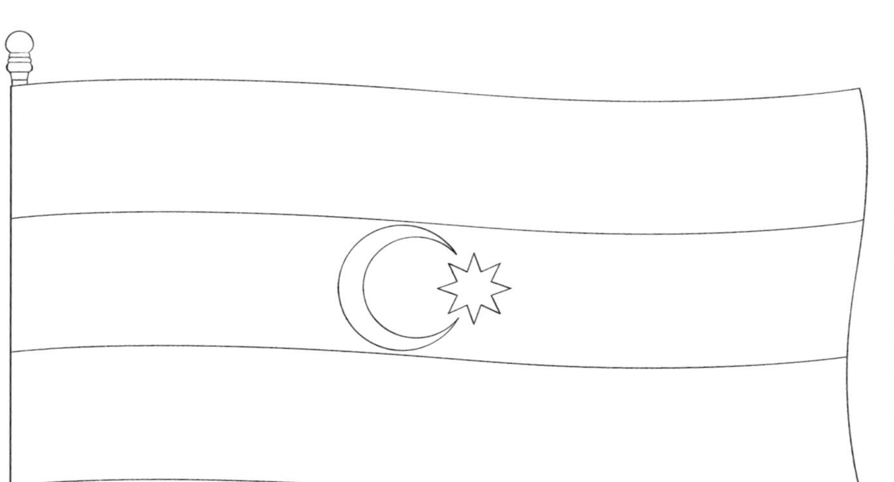

아제르바이잔

파란색은
서남아시아 사람을,
빨간색은 진보를,
초록색과 초승달,
별은 이슬람교를
상징해요.

베트남

별의 다섯 모서리는
베트남의 노동자,
농민, 지식인, 군인,
청년의 단결을 뜻해요.

캄보디아

캄보디아 국기에는 거대한 사원인 앙코르 와트가 있어요.
세계 국기 중에서 유일하게 위대한 건축물을 넣은 국기지요.

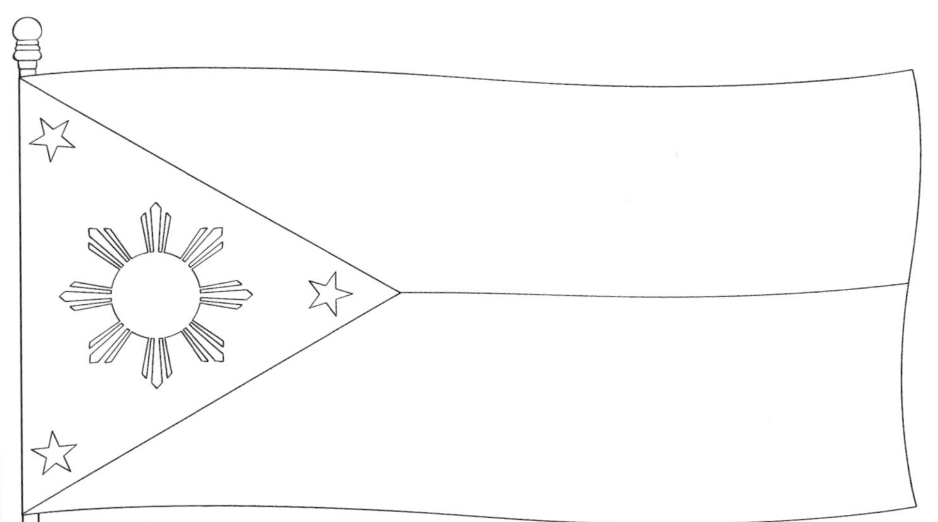

필리핀

세계에서 필리핀만이 전쟁이 일어나면 국기 위아래를 뒤집어 사용해요.
다른 나라들은 전쟁 때 사용하는 군기가 따로 있지요.

네팔

네팔 국기는 세계에서 유일하게
모양이 사각형이 아닌 국기예요.
국가가 달이나 태양과 같이
길이 번영하기를 바라는 염원을
나타내요.

몽골

국기 왼쪽의 문장을 '소욤보'라고 해요. 몽골의 상징으로써 곳곳에 많이 사용되지요.

필리핀

브루나이

방글라데시

시리아

네팔

몽골

미얀마(버마)

중국

투르크메니스탄

싱가포르

쿠웨이트

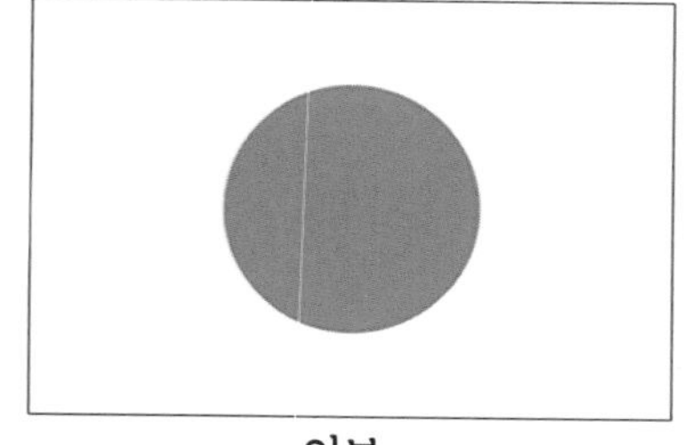

일본

투르크메니스탄

투르크메니스탄은 양탄자로 유명해요. 국기 왼쪽의 무늬는 중앙 및 서남아시아의 전통 양탄자 무늬로, '굴'이라고 불리기도 해요.

미얀마(버마)

미얀마 국기의 노란색은 단결을, 초록색은 평화를, 빨간색은 용기를 뜻해요.

쿠웨이트

세계 국기 중 유일하게 사다리꼴이 들어가 있어요.

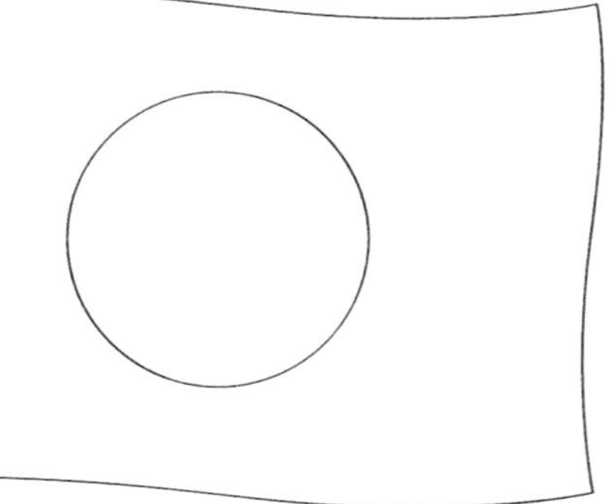

일본

일본은 '떠오르는 태양의 나라'라는 뜻이에요. 그래서 국기에 빨간색 원이 있지요.

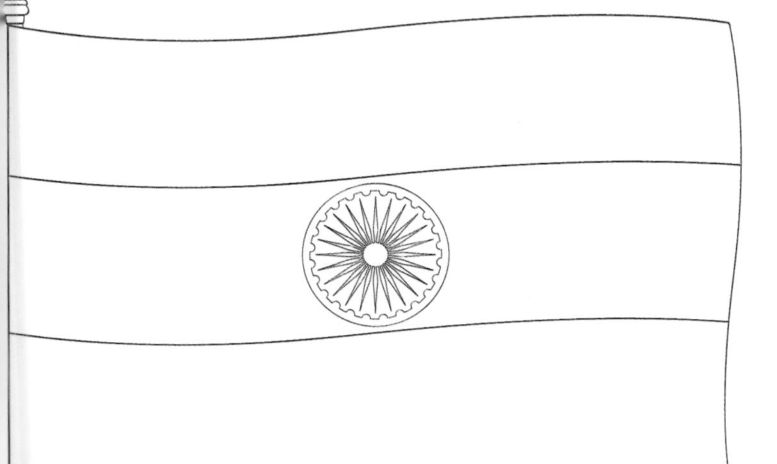

인도

국기 가운데에 있는
바퀴 모양의 문장을
'아쇼카 차크라'라고 해요.
고대 인도에서 삶과 영원을
상징하지요.

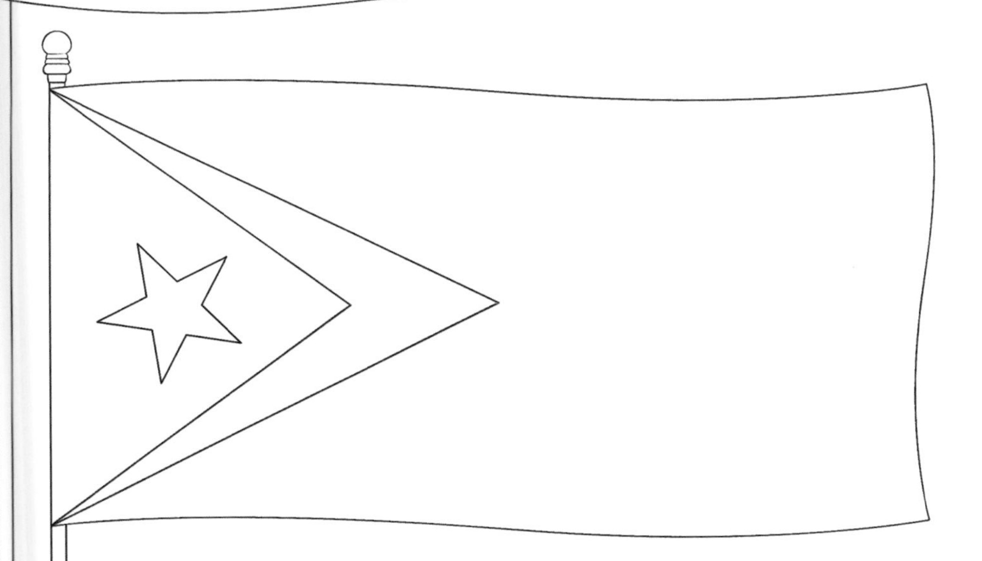

동티모르

빨간색은 동티모르가 독립을 위해
벌인 투쟁을 뜻해요.
동티모르는 포르투갈과
인도네시아로부터 두 차례나
독립을 이뤘답니다.

키르기스스탄

노란 태양 안에 겹쳐진 선은
키르기스스탄의 전통 천막집인
'유르트'를 나타내요.

인도

터키

동티모르

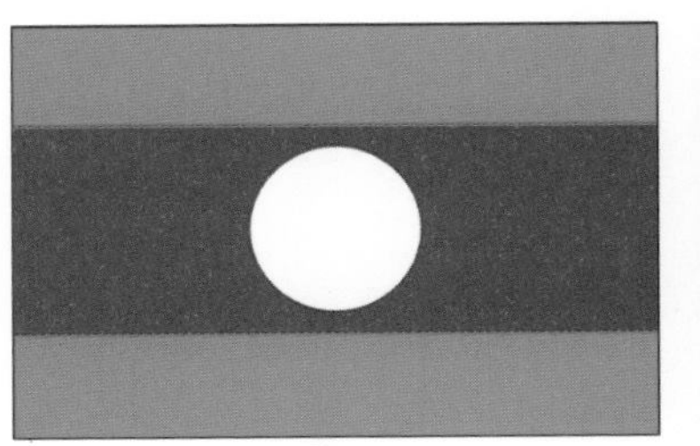
라오스

우즈베키스탄

키르기스스탄

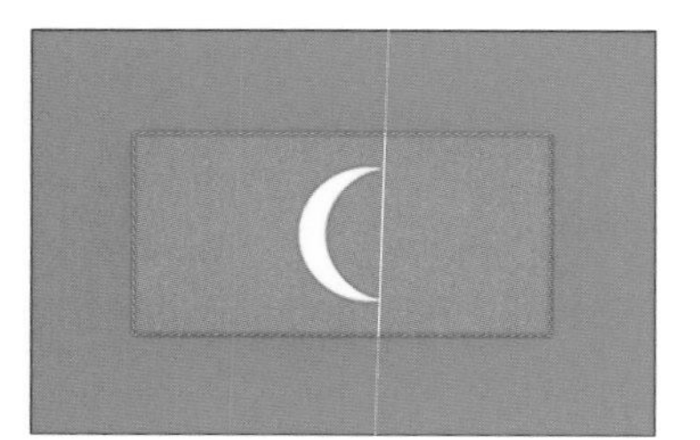
몰디브

스리랑카

예멘

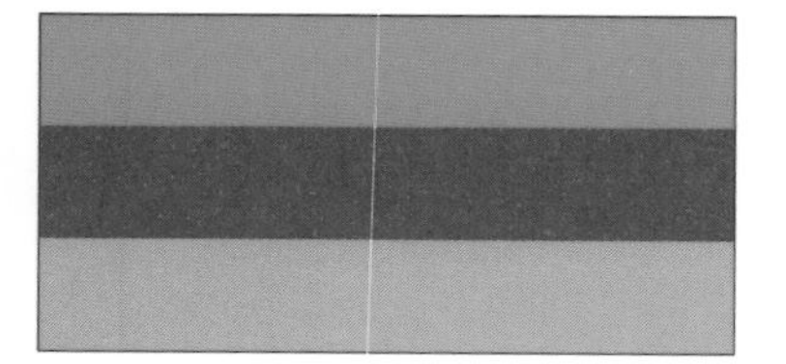
아르메니아

대한민국

태국(타이)

스리랑카

스리랑카에는 여러 민족이 살아요. 갈색 바탕의 보리수 잎은 불교를 믿는 신할리 족, 초록색 줄은 이슬람교를 믿는 무어 족, 주황색 줄은 힌두교를 믿는 타밀 족을 상징해요. 사자는 용기를 의미하지요.

아르메니아

빨간색은 독립을 향한 투쟁, 주황색은 아르메니아 민족의 재능과 성실성, 파란색은 하늘 아래 평화로운 삶을 바라는 소망을 나타내요.

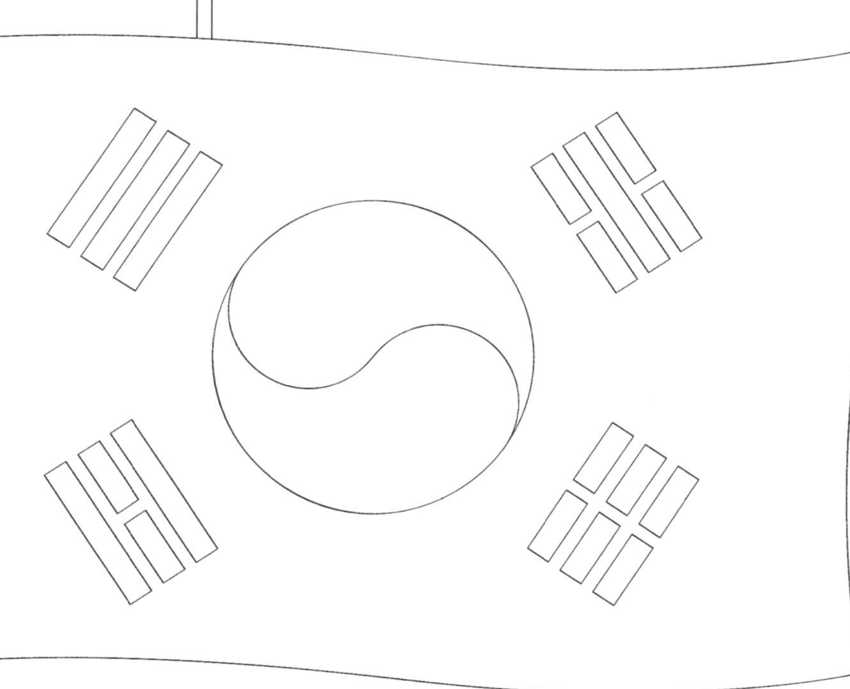

대한민국

흰색 바탕은 순수와 평화를, 동그란 태극 문양은 서로 반대되는 기운인 음과 양의 조화를 상징해요. 검은색의 건곤감리는 각각 하늘, 땅, 물, 불을 나타내요.

아프리카
지중해
아시아
대서양
인도양
모로코
튀니지
알제리
리비아
이집트
서사하라
(모로코령)
모리타니
카보베르데
말리
니제르
차드
수단
에리트레아
세네갈
감비아
기니비사우
기니
부르키나파소
지부티
소말리아
시에라리온
라이베리아
코트디부아르
가나
토고
베냉
나이지리아
에티오피아
중앙아프리카 공화국
남수단
카메룬
적도 기니
상투메 프린시페
가봉
콩고
콩고 민주 공화국
르완다
우간다
케냐
부룬디
세이셸
탄자니아
코모로
앙골라
잠비아
말라위
모잠비크
마다가스카르
모리셔스
짐바브웨
나미비아
보츠와나
에스와티니 왕국
레소토
남아프리카
공화국

에티오피아

모리타니

차드

수단

가봉

앙골라

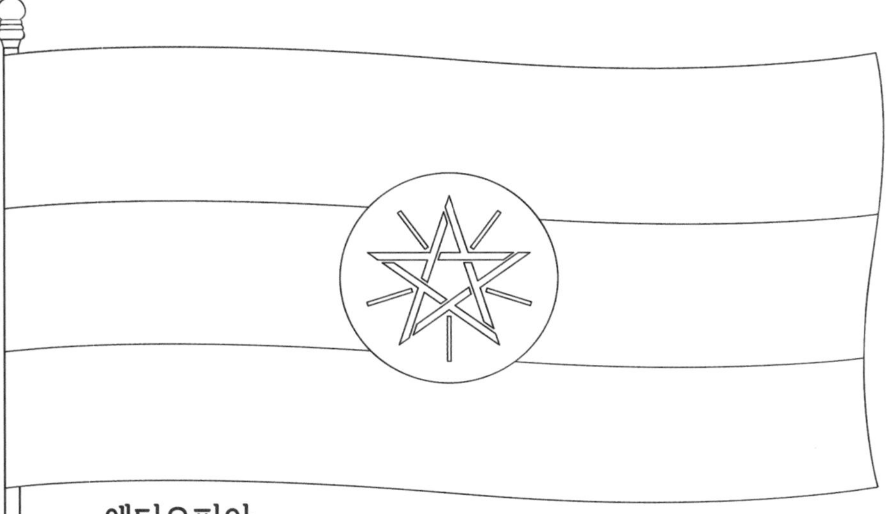

에티오피아

에티오피아는 아프리카 국가 가운데 처음으로 빨간색, 초록색, 노란색을 국기 색깔로 정한 나라예요. 이 삼색은 아프리카의 많은 국가들이 따라서 사용하면서 범아프리카 색이 되었어요.

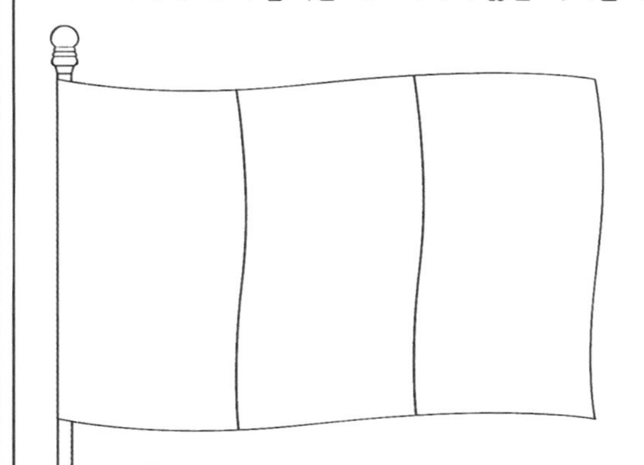

차드

차드 국기는 루마니아 국기와 거의 비슷해요. 차드 국기의 파란색이 조금 더 진하다는 점 외에는 큰 차이가 없지요.

가봉

초록색은 드넓은 숲과 가봉의 국립공원을 상징해요. 노란색은 뜨겁게 해가 내리쬐는 기후를, 파란색은 바다를 뜻하지요.

앙골라

톱니바퀴는 공장 노동자를, 칼은 농민을, 별은 단결과 진보를 상징해요.

남아프리카 공화국

초록색 Y자 문양은
한때 갈라섰던 국민이
하나가 되어 나아가는
통합을 의미해요.

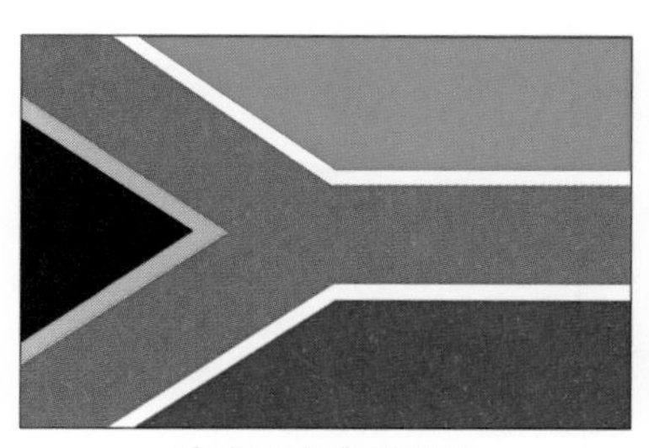

남아프리카 공화국

가나

나이지리아

라이베리아

라이베리아의 국기는 미국 국기인 '성조기'와 비슷해요. 19세기 초 미국에서 해방된
아프리카계 노예들이 라이베리아로 건너와 정착했고 나라를 세웠지요.

라이베리아

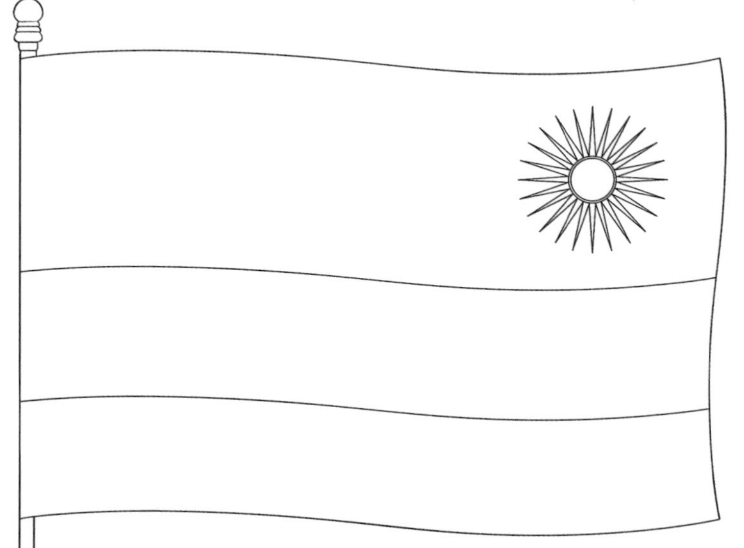

르완다

파란색은 행복과 평화를,
노란색은 경제 발전을,
초록색은 번영을 뜻해요.
태양은 국민을 계몽하는
빛을 상징해요.

부르키나파소

르완다

부룬디

지부티

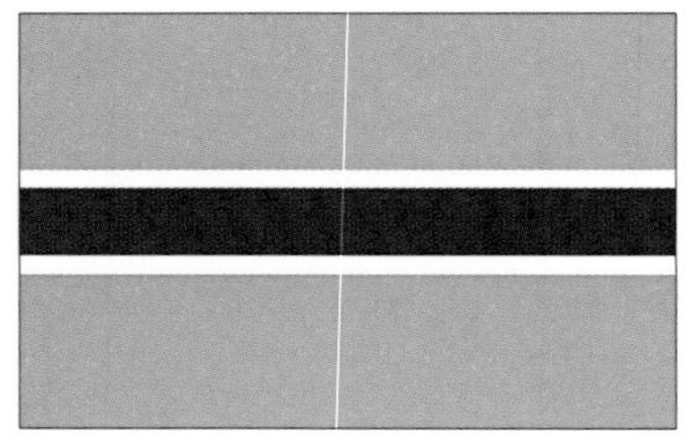
보츠와나

세네갈

시에라리온

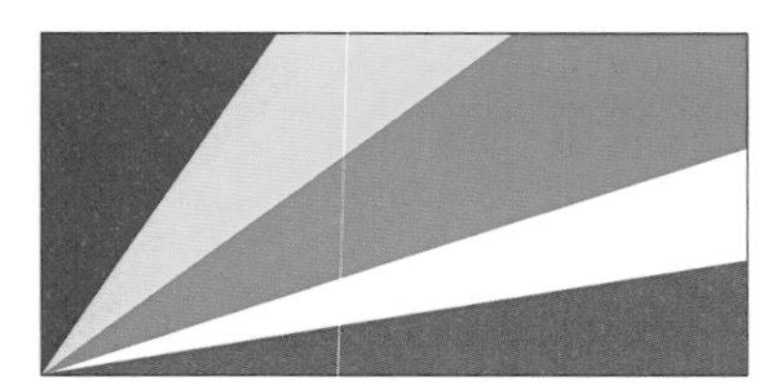
세이셸

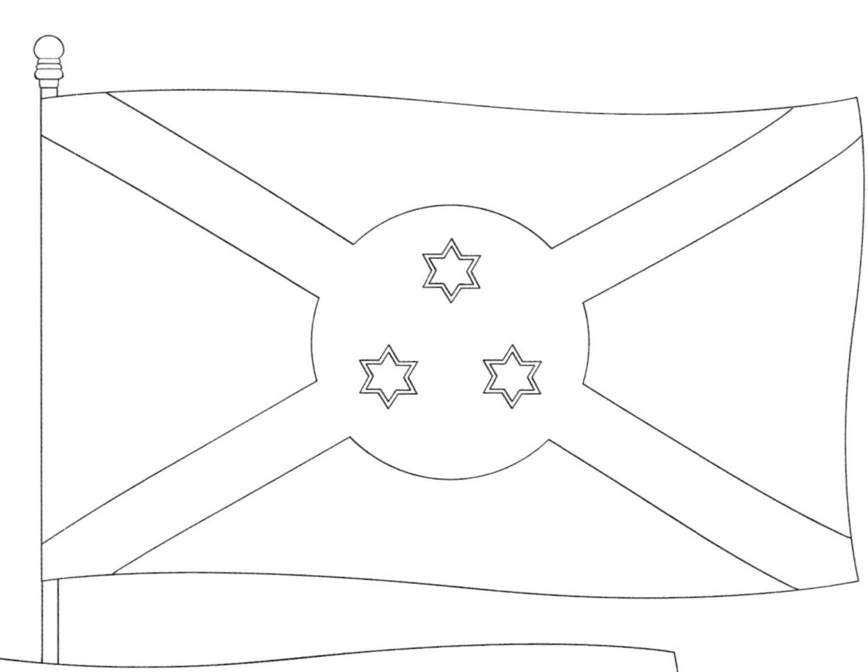

부룬디

세 개의 별은 국가 표어인 '통일, 노동, 진보'를 나타내요.

보츠와나

파란색은 보츠와나에서 매우 귀한 비와 물을 상징해요. 검은색과 흰색 줄무늬는 보츠와나를 대표하는 동물인 얼룩말에서 유래했어요. 더불어 흑인과 백인의 화합을 뜻하기도 하지요.

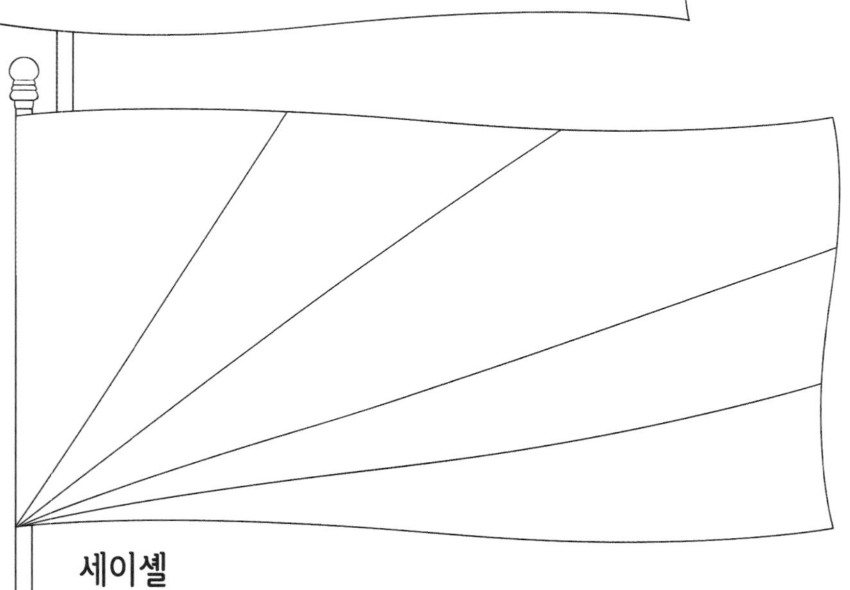

세이셸

독특한 사선 모양의 띠는 새로운 미래를 향한 희망과 역동성을 상징해요.

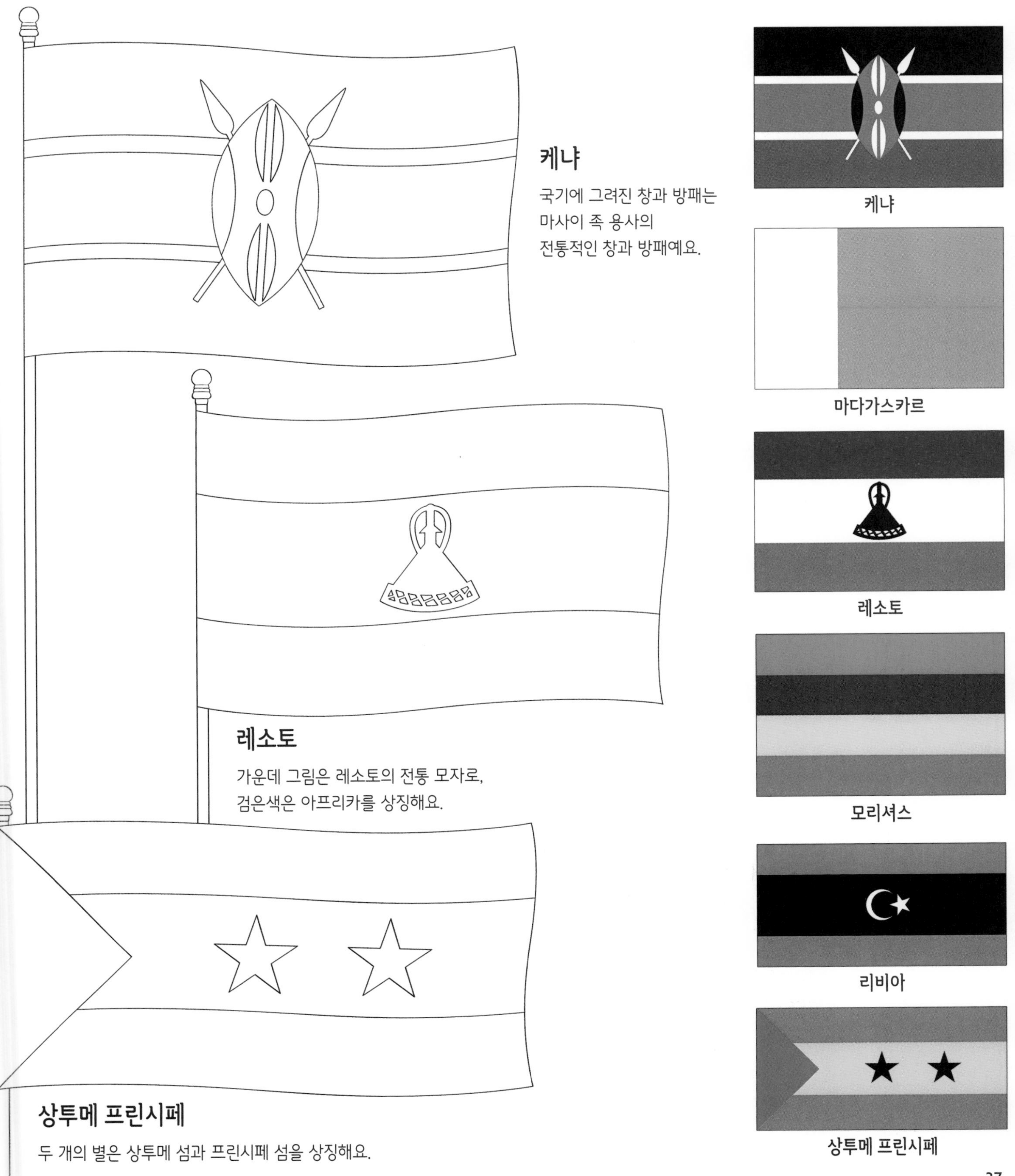
케냐
국기에 그려진 창과 방패는
마사이 족 용사의
전통적인 창과 방패예요.
레소토
가운데 그림은 레소토의 전통 모자로,
검은색은 아프리카를 상징해요.
상투메 프린시페
두 개의 별은 상투메 섬과 프린시페 섬을 상징해요.
케냐
마다가스카르
레소토
모리셔스
리비아
상투메 프린시페

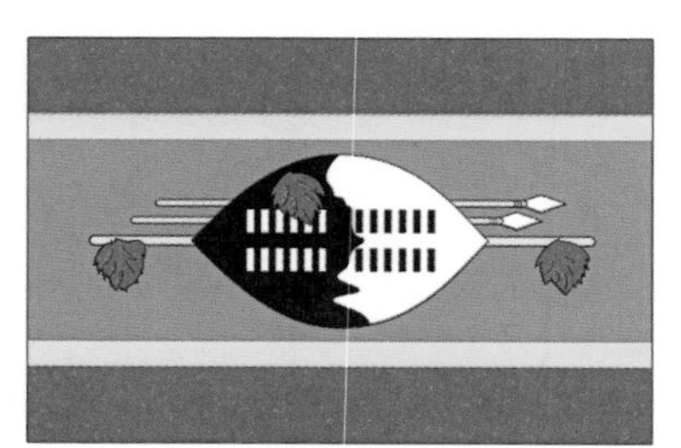

에스와티니 왕국

콩고

모잠비크

소말리아

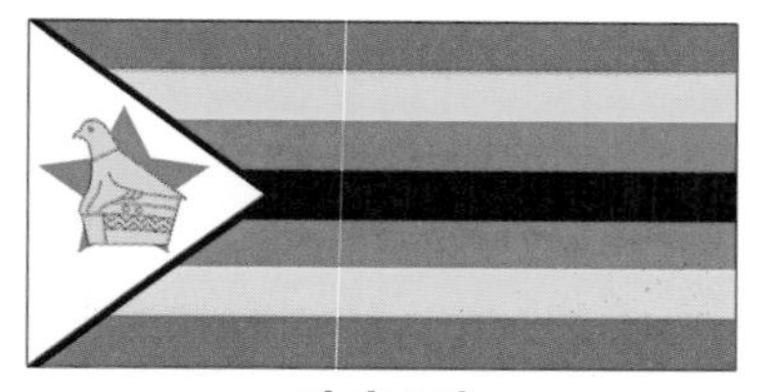

짐바브웨

코트디부아르

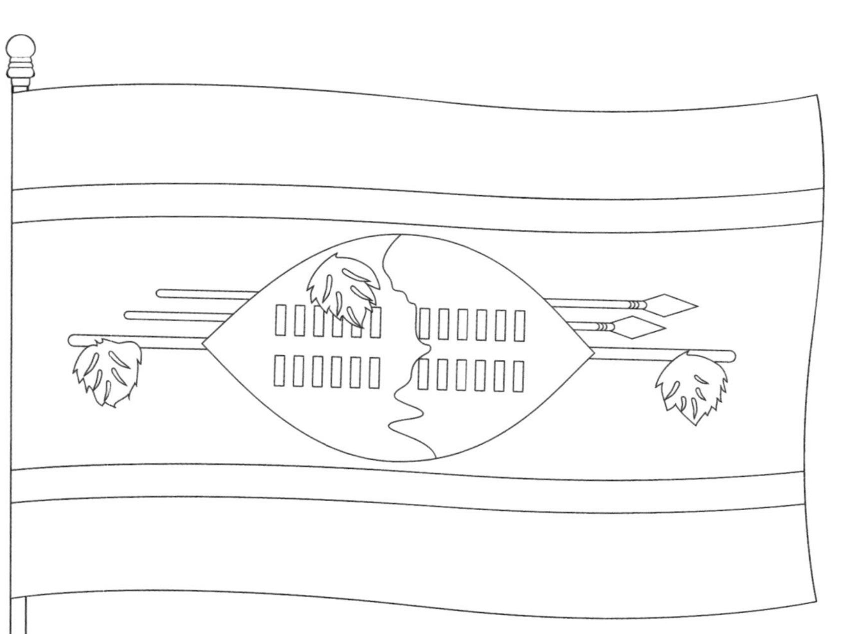

에스와티니 왕국

가운데 문장은 방패와 전사들의 전통 창, 술이 달린 봉으로 이루어져요. 방패에 나타난 검은색과 흰색은 흑인과 백인이 평화롭게 함께 살아간다는 것을 나타내요.

모잠비크

책은 교육을, 괭이는 농업 또는 생산을, 총은 국방을 상징해요.

짐바브웨

그레이트 짐바브웨라는 유적지에서 발견한 새 조각상을 국기에 담았어요. 나라 이름도 이 유적지에서 유래했지요.

이집트

국기 가운데의 문장은
'살라딘의 독수리'라고 해요.
살라딘은 12세기에 이집트를
다스렸던 통치자예요.
문장 아래쪽에는 이집트의
정식 국가 명칭인 '이집트 아랍
공화국'이 쓰여 있어요.

이집트

에리트레아

올리브 가지는
평화를 상징해요.
에리트레아에서는
국기가 게양되면
국민들이 가던 길을
멈추고 운전자는
차에서 내려요.
그렇게 하도록 법으로
정해져 있거든요.

에리트레아

모로코

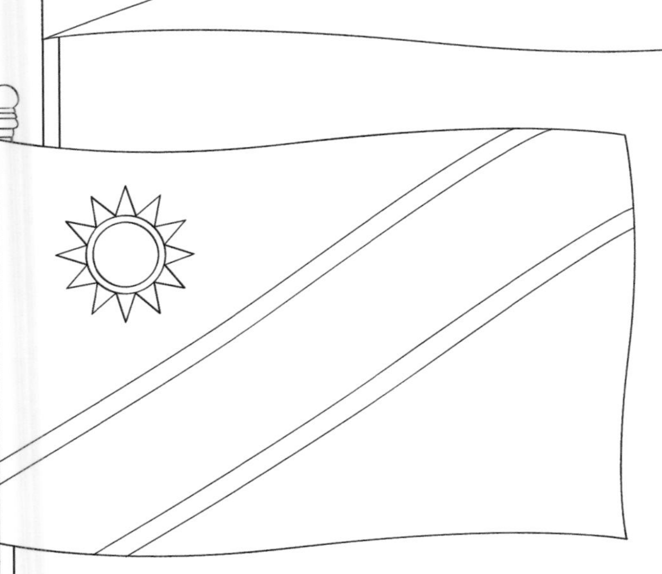

나미비아

태양은 생명과 힘을 상징해요.
파란색은 하늘을, 초록색은 대지를,
빨간색은 국민을, 흰색은 평화와
단결을 뜻하지요.

나미비아

기니비사우

잠비아

튀니지

코모로

카메룬

콩고 민주 공화국

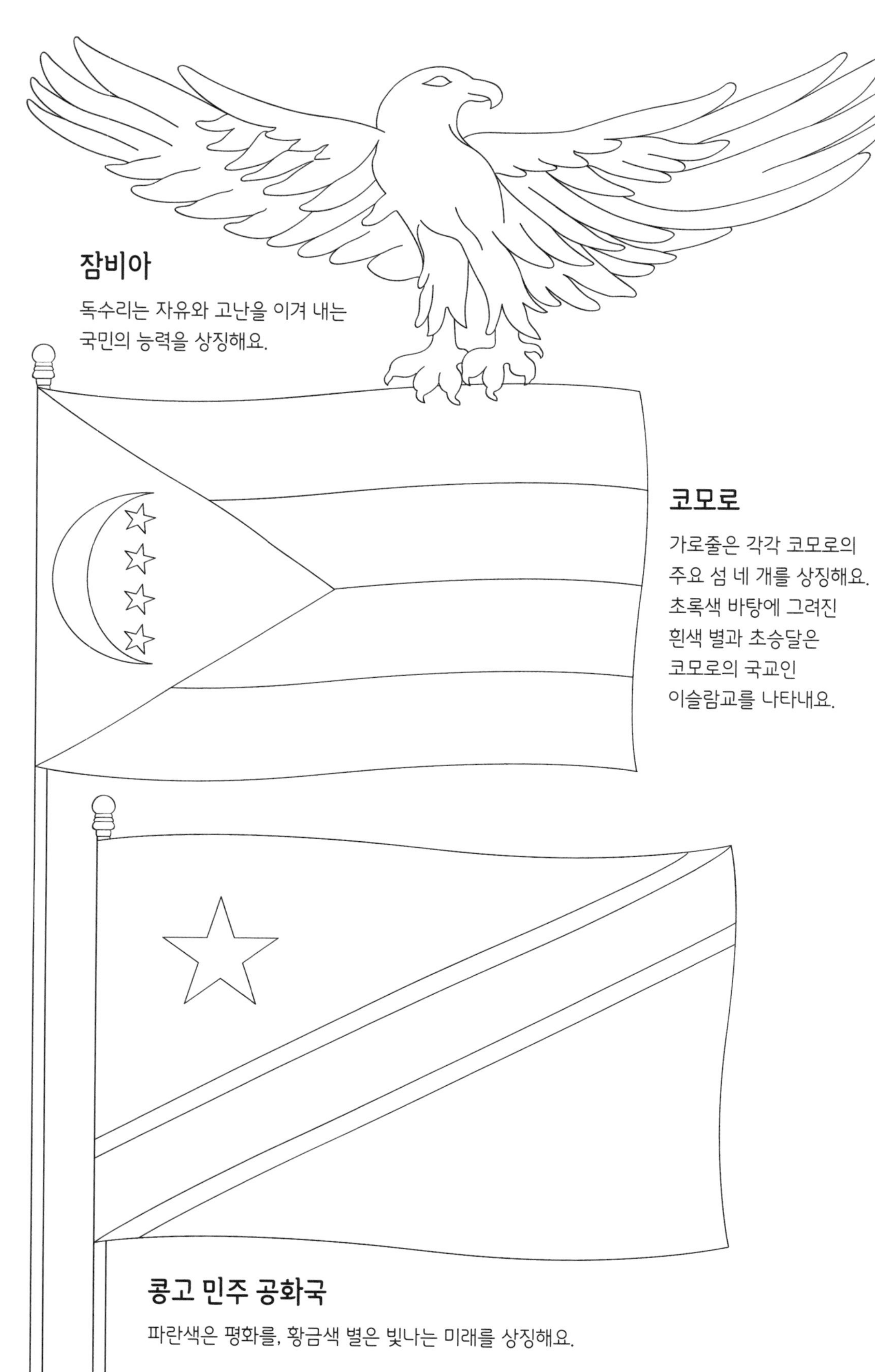

잠비아

독수리는 자유와 고난을 이겨 내는 국민의 능력을 상징해요.

코모로

가로줄은 각각 코모로의 주요 섬 네 개를 상징해요. 초록색 바탕에 그려진 흰색 별과 초승달은 코모로의 국교인 이슬람교를 나타내요.

콩고 민주 공화국

파란색은 평화를, 황금색 별은 빛나는 미래를 상징해요.

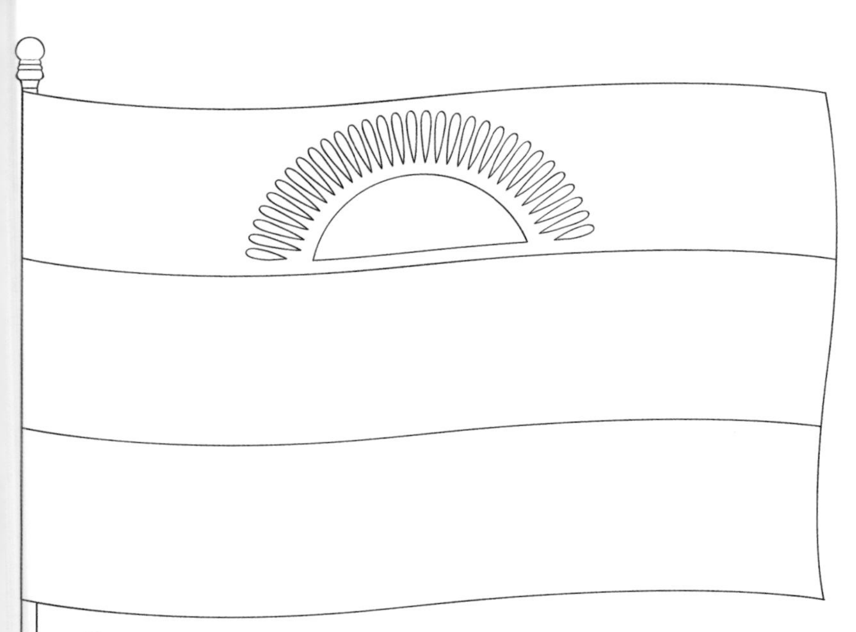

말라위

떠오르는 태양은
아프리카의
희망과 자유의
빛을 상징해요.

말라위

말리

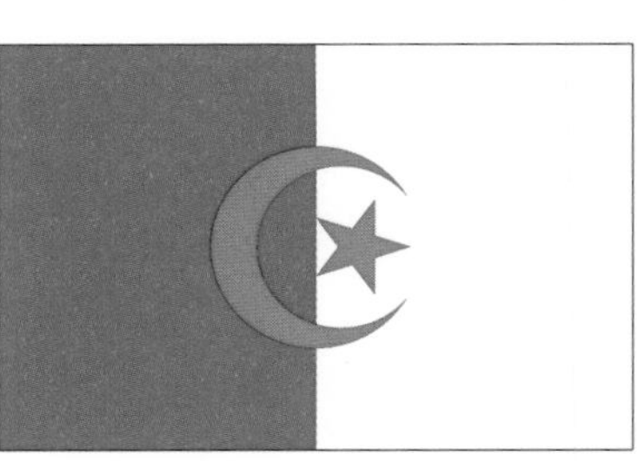

알제리

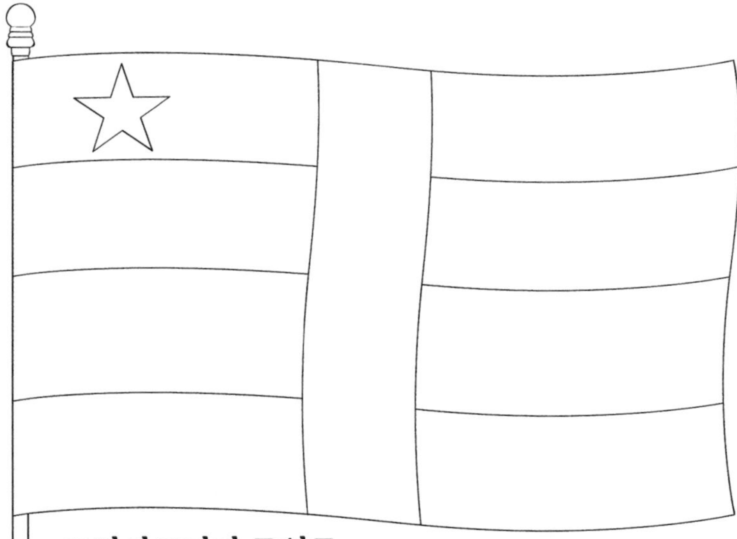

중앙아프리카 공화국

국기에 범아프리카 색과 프랑스 삼색기의 색이 모두 들어 있는데,
이는 중앙아프리카 공화국이 한때 프랑스 식민지였음을 의미한다는 설도 있어요.

중앙아프리카 공화국

감비아

빨간색은 태양 또는
뜨거운 사바나*를,
초록색은 숲 또는 국토를,
파란색은 감비아 강을 상징해요.

*사바나: 열대 초원

감비아

카보베르데

토고

적도 기니

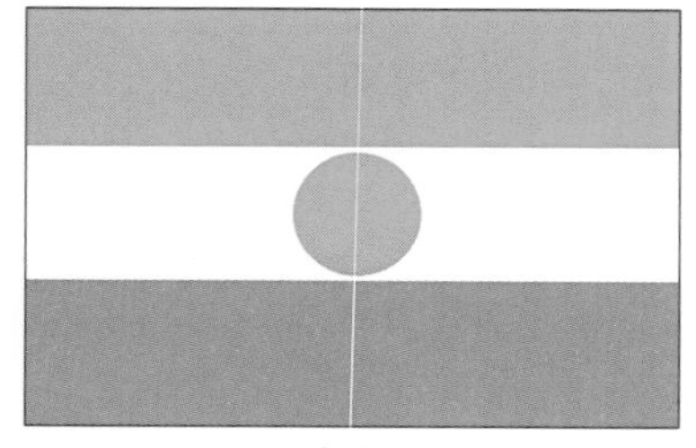
니제르

기니

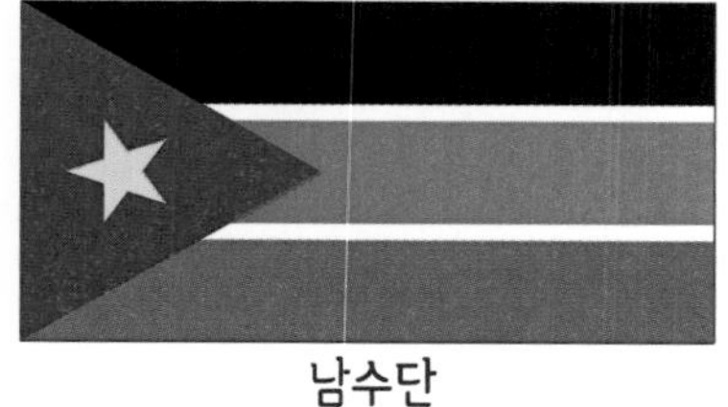
남수단

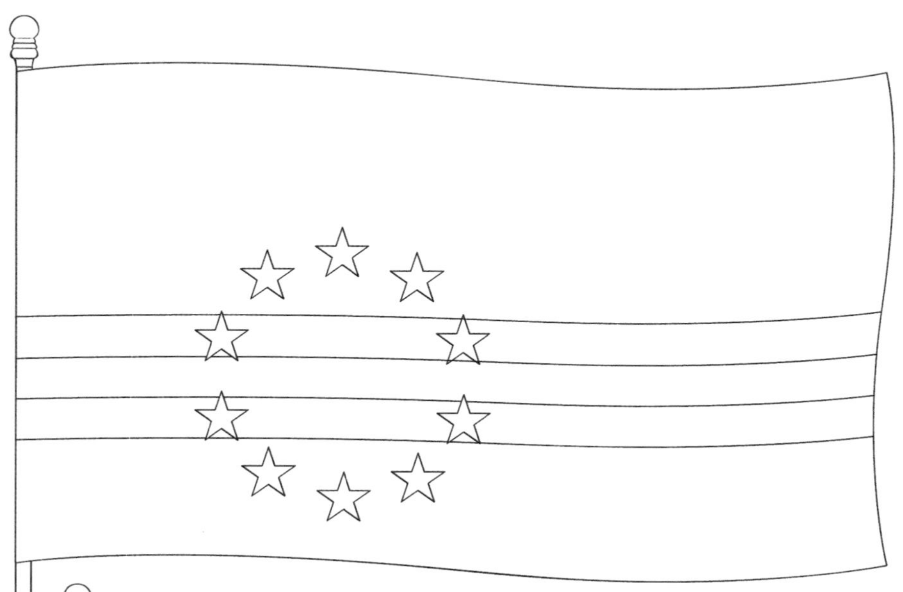

카보베르데

원 모양으로
배치된 별 열 개는
카보베르데의 섬
열 개를 나타내요.

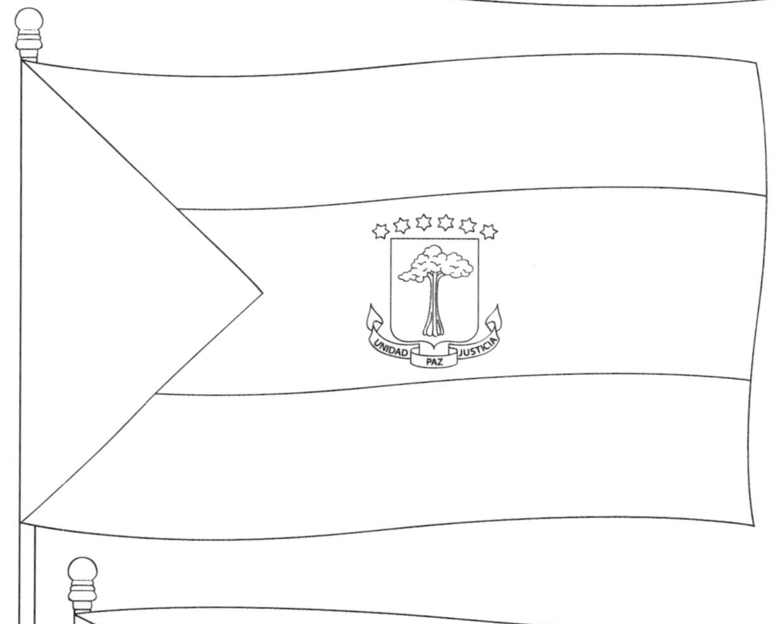

적도 기니

국기의 문장 가운데에는
판야나무가 그려져 있어요.
이 나무 아래에서
스페인이 식민 통치를
한다는 조약이 처음
체결되었어요.
리본에는 '통일, 평화,
정의'라는 표어가
스페인 어로 적혀 있어요.

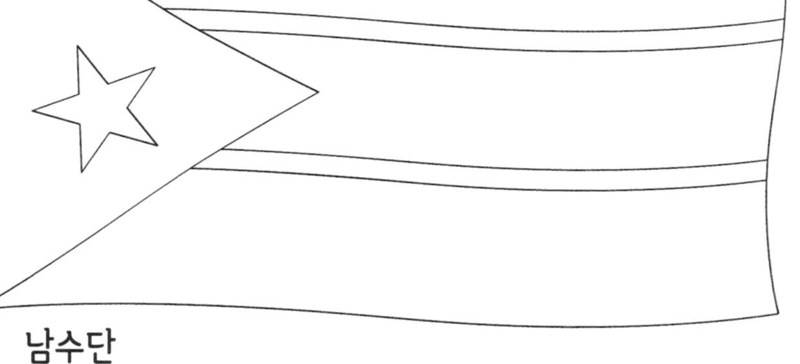

남수단

남수단 국기는 2005년도에 만들어 제정되었지만,
수단으로부터 독립을 이룬 2011년부터 나라 안팎에 본격적으로 소개되었어요.

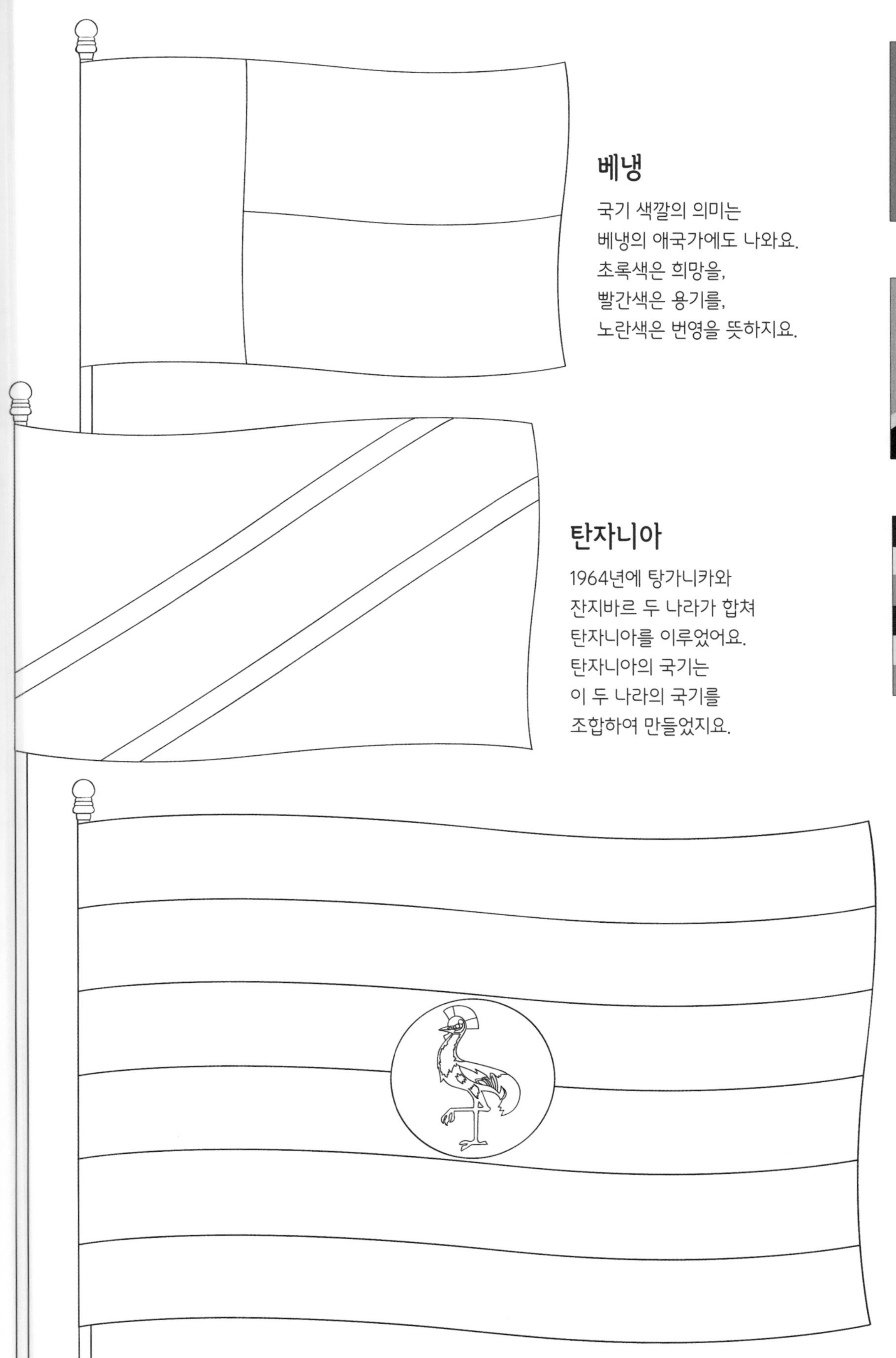

베냉

국기 색깔의 의미는
베냉의 애국가에도 나와요.
초록색은 희망을,
빨간색은 용기를,
노란색은 번영을 뜻하지요.

베냉

탄자니아

1964년에 탕가니카와
잔지바르 두 나라가 합쳐
탄자니아를 이루었어요.
탄자니아의 국기는
이 두 나라의 국기를
조합하여 만들었지요.

탄자니아

우간다

우간다

국기에 그려진 새는
우간다를 상징하는
잿빛왕관두루미예요.

오세아니아
오세아니아는 수천 개의 섬으로
이루어져 있어요. 섬 대부분이 이 지도에
나타낼 수 없을 만큼 아주 작지요.
아시아
마셜 제도
미크로네시아
(연방 공화국)
팔라우
나우루
키리바시
파푸아
뉴기니
솔로몬 제도
투발루
사모아
바누아투
피지
통가
호주
(오스트레일리아)
태평양
뉴질랜드

바누아투

노란색 Y자 모양은 바누아투를 이루는 '뉴헤브리디스 제도'의 모습을 나타내요. 왼쪽 문장 속 멧돼지의 송곳니는 나라의 번영을, 그 안에 든 잎 두 장은 평화를 뜻해요.

바누아투

파푸아 뉴기니

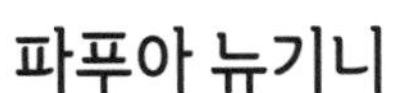

파푸아 뉴기니

국기에 그려진 새는 파푸아 뉴기니를 상징하는 극락조예요. 이 국기는 공모전에서 15세 소녀의 작품을 뽑아 제정했어요.

사모아

호주(오스트레일리아)

호주(오스트레일리아)

오른쪽에 보이는 별 다섯 개는 남반구의 밤하늘에서만 보이는 남십자성을 뜻해요.
가장 큰 별은 모서리가 일곱 개로, 호주의 일곱 지역을 뜻해요.
왼쪽에 있는 영국 국기는 호주가 영국과 관계가 가깝다는 것을 알려 줘요.

미크로네시아(연방 공화국)

피지

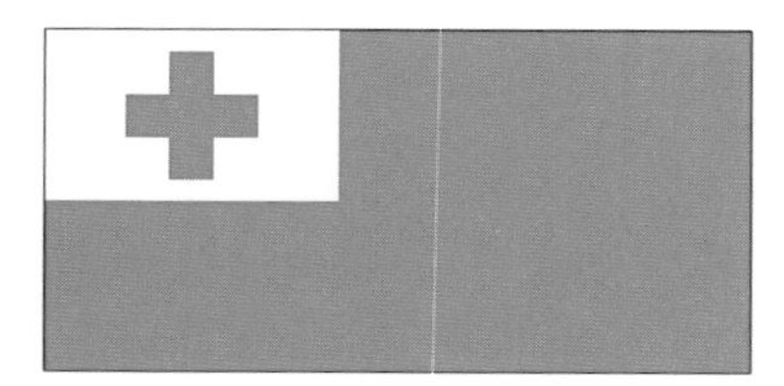

통가

뉴질랜드

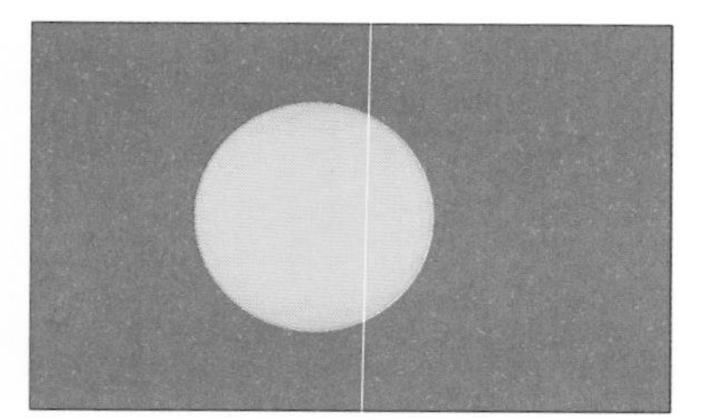

팔라우

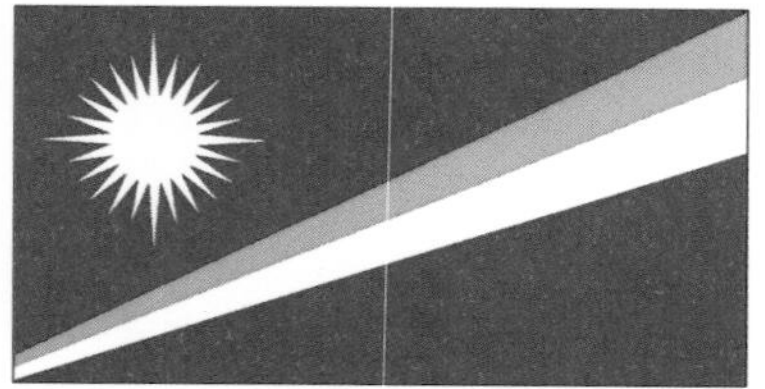

마셜 제도

솔로몬 제도

피지

문장에 사탕수수,
코코야자, 바나나 등
피지의 농작물이 그려져
있어요. 사자가 잡고 있는
열매는 피지에서 생산되는
카카오나무 열매예요.
비둘기는 평화를 상징해요.

팔라우

노란색 원은 보름달을 뜻해요. 팔라우에서는
보름달이 뜨는 때를 가장 좋은 시기로 여기는
전통이 있어요. 이때 고기잡이, 씨뿌리기,
거둬들이기, 축제 같은 여러 공동체 활동을
하기 좋기 때문이에요.

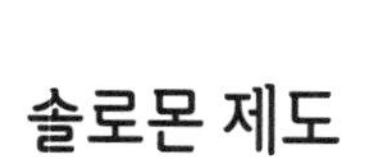

솔로몬 제도

파란색은 바다를,
초록색은 땅을,
노란색은 태양을 나타내요.
별 다섯 개는 솔로몬 제도를
이루는 여러 섬을 뜻하지요.

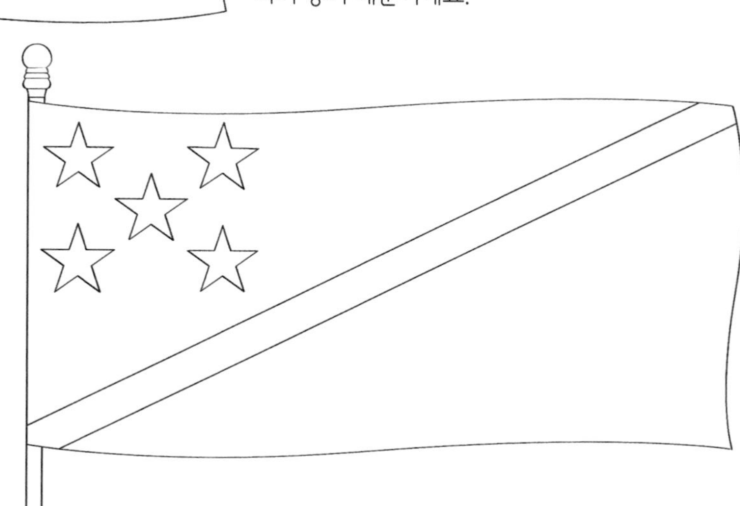

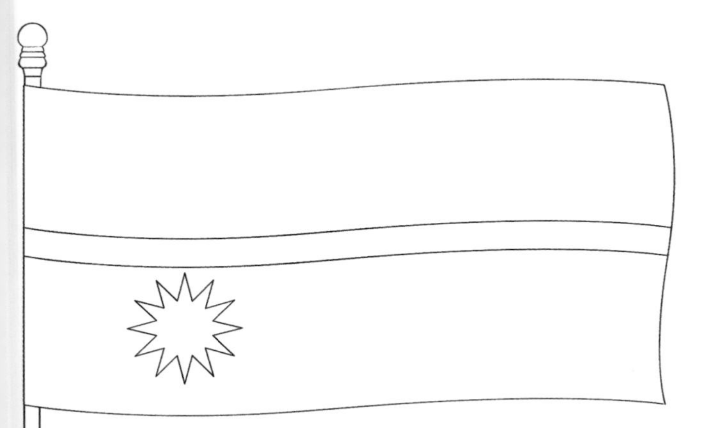

나우루

나우루는 적도보다 1도 남쪽에
위치해요. 적도는 지구 한가운데를
빙 두른 가상의 선이지요.
국기에서 노란색 줄은 적도를,
그 밑의 별은 나우루의 위치를 나타내요.

나우루

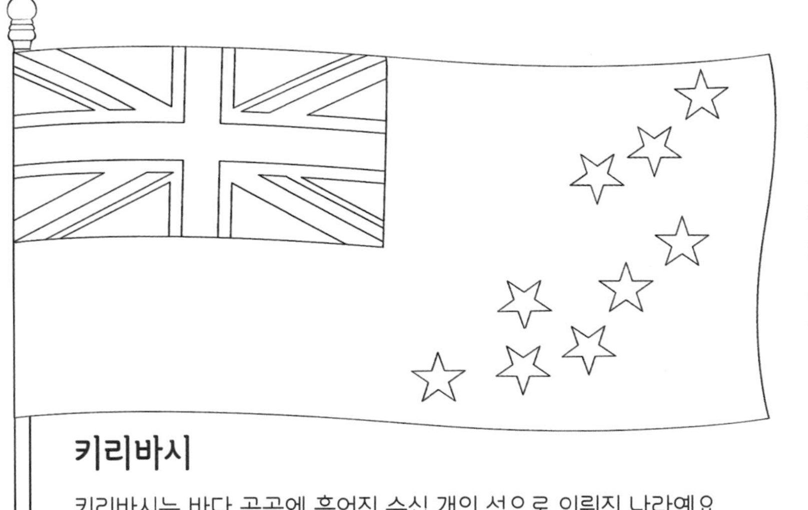

투발루

별 아홉 개는
투발루를 이루는
아홉 섬을 나타내요.
왼쪽의 영국 국기는
투발루가 영국 연방의
일원임을 의미해요.

투발루

키리바시

키리바시

키리바시는 바다 곳곳에 흩어진 수십 개의 섬으로 이뤄진 나라예요.
그래서 태양이 바다에서 떠오르는 모습을 국기에 나타냈지요. 군함새는 힘과 자유를 상징해요.

찾아보기

한국어판 1판 1쇄 펴냄 2017년 9월 1일 | **1판 4쇄 펴냄** 2022년 8월 31일
옮김 신인수 **편집** 김산정 **디자인** 황혜련 **펴낸곳** (주)비룡소인터내셔널 **전화** 02)6207-5007 **팩스** 02)515-2007

영문 원서 Flags of the World to colour **1판 1쇄 펴냄** 2017년
글 수전 메레디스 **그림 · 디자인** 이안 맥니 외
펴낸곳 Usborne Publishing Limited usborne.com